JN034532

有斐閣新書

地方自治法の論点

小高　剛・阿部泰隆・宮崎良夫
芝池義一・三木義一・木佐茂男　著

はしがき

今日の経済社会の変化に伴う制約条件の下で問われるあらたな地方自治のあり方として、「選択と負担」のシステムがいわれている。地方自治の分野で、従来以上に、自主、自律を基本とする対応が求められるというのである。「選択と負担」のシステムの確立を基本とし、住民に身近な市町村の権限の強化、国の規制と関与の緩和を強調することは大いに歓迎すべきであろう。けれども、相変らず機関委任事務の整理合理化が求められていることからもうかがわれるように、戦後の地方自治制の根本は少しも変っていないという現実にも目を向けなければならない。地方の時代がさけばれ、住民参加や情報公開が求められ、従来にもまして人々が地方自治を身近なものに感じている今日、地方自治を支える法制度を勉強する機会も増えたのではないかと思われる。

地方自治については、制定施行後すでに三〇年を過ぎた地方自治法が基本法として存在する。この法律は、地方自治の制度と組織の大綱を定めたぼう大なものであるが、これのみで地方行政が行なわれているわけではない。そのほかにも、数多くの行政活動に関する法律や条例があり、それらを運用することによって全体としての地方自治が成り立っているのである。だから、地方自治に関する法制度の全体を修得するのは、容易なことではないのである。本書は、地方自治法について一通りの基礎知識を得た読者に、さらに、事例に即して地方自治に関する法律上の問題点を修得してもらうことのできる書物として企画されている。いわば、地方自治法入門の応用編といってよい。もっとも、私たちの周辺にある事例を通して地方自治をめぐる法律を勉強する方が、かえって問題点を履習しやすいかも知れない。このような趣旨から、本書は地方自治法という法律に限定せず、地方自治にかかわりのある法律をも取り上げて解説している。なお、地方自治法に関する入門書としては、本書と同じシリーズで、小高＝原野＝阿部＝村上著『地方自治法入門』があり、地方自治法を中心に、地方自治をめぐる法制度について、その仕組みと基本的な法原則を解説している。あわせて参照していただければ幸いである。

執筆に際しては、設問と文章表現について若干の調整がなされたことを除き、各章ともに各執筆者の責任において記述されている。それぞれの個性、考え方の違いなど共著形式の制約をまぬがれることはできないけれども、かえって、各人の問題意識が卒直に画き出されているとも思われる。本書が、地方自治に関心をもつ多くの人々の履習の書として用いられるならば、わたくし達の望外の喜びである。

本書の公刊にあたって有斐閣京都支店の松尾正俊氏にお世話になった。心からお礼を申し上げる。

昭和五七年六月一五日

執筆者一同にかわって

小　高　　剛

◆執筆者紹介◆

（執筆者順）

宮崎良夫（みやざき よしお）〔1〕 ■1944年京都市生れ。1967年東京大学法学部卒業。現在，東京大学社会科学研究所助教授。主要論文として，「プロイセンにおける官府裁判（Kammerjustiz）」社会科学研究24巻5－6号（1973年），「『法治国』の理念と現実」同25巻2号，26巻1号（1974年），「行政訴訟と立証責任」同31巻6号，32巻2号（1980年），「行政訴訟における団体の原告適格」同33巻3号（1981年），「『司法権の限界』論についての一考察」同33巻6号（1982年）などがある。

木佐茂男（きさ しげお）〔2〕 ■1950年島根県生れ。1973年島根大学文理学部卒業。現在，北海道大学法学部助教授。主要論文として，「プロイセン＝ドイツ地方自治法理論研究序説」（1～4）自治研究54巻7～10号（1978年・良書普及会），「住民訴訟の対象」民商法雑誌82巻6号（1980年・有斐閣），「地方自治と福祉行政」高田敏編著『福祉行政・公有財産条例（条例研究叢書8）』（1981年・学陽書房）などがある。

芝池義一（しばいけ よしかず）〔3〕 ■1945年和歌山県生れ。1969年京都大学法学部卒業。現在，京都大学法学部助教授。主要論文として，「ドイツにおける公法学的公用収用法理論の確立」法学論叢92巻1号，93巻2号，93巻4号，「ドイツ警察法理論をめぐる若干の理論的諸問題」同96巻2号，96巻3号，「西ドイツ裁判例における計画裁量の規制原理」同105巻5号などがある。

阿部泰隆（あべ やすたか）〔4〕 ■1942年福島県生れ。1964年東京大学法学部卒業。現在，神戸大学法学部教授。主要著書として，『フランス行政訴訟論』（1971年・有斐閣），『地方自治法入門』（共著・1978年・有斐閣），演習行政法上・下（共編著・1979年・青林書院），講義行政法Ⅱ〔行政救済法〕（共編著・1982年・青林書院）などがある。

小高(こたか)　剛(つよし)〔5〕　■1935年京都市生れ。1957年立命館大学法学部卒業。現在，大阪市立大学法学部教授。主要著書として，『注釈行政不服審査法』（共著・1975年・第一法規），『行政法入門』（共著・1977年・有斐閣），『住民参加手続の法理』（1977年・有斐閣），『土地収用法入門』（1978年・青林書院新社），『地方自治法入門』（共著・1978年・有斐閣），『不動産法概説(2)』（共編・1978年・有斐閣），『土地収用法（特別法コンメンタール）』（1980年・第一法規）などがある。

三木(みき)義一(よしかず)〔6〕　■1950年東京都生れ。1973年中央大学法学部卒業。現在，静岡大学人文学部助教授。主要論文として，「ヘンゼル税法学の構造(1)(2)(3)」民商法雑誌72巻4～6号，「西ドイツにおける市町村の新税開発権(1)(2)」日本法学44巻4号，45巻1号（1979年），「西ドイツ受益者負担金法制における『利益』概念」法経研究30巻1号（1981年）などがある。

目次

3 地方自治(地方行政)の担当者……六九

目　次

※　法令略語は「有斐閣六法全書」による。
別表＝地方自治法別表の略

1　地方自治（地方行政）の主体・権能

❖1　地方公共団体の区域について紛争が生ずるのはなぜか

地方公共団体の区域の意義　地方公共団体の区域についての紛争は、現在でも境界未確定の地域をめぐって生じているばかりでなく、埋立てや干拓による土地造成にともなう境界確定のためにしばしば生じている。そこでこのような紛争の生ずる原因および問題点を検討するには、まず、地方公共団体の区域がどのような意義を有しているのかを明らかにしておかなければならない。

統治団体としての地方公共団体は、住民、区域、自治権の三つの構成要素から成立しているが、この中で区域は、法的にも社会経済的にもさまざまの機能を果たしている。地方公共団体の区域は、住民の郷土意識の形成や地域活動の基礎となっているばかりでなく、法的にみても、それは、それぞれの地方公共団体の構成員である住民の範囲を確定する基礎となっており（自治一〇条一項）、逆に住民は一定の区域内において選挙権、直接請求権、住民訴訟提起権等の地方自治に参画する権利を有し（同一一条—一三条・二四二条の二）、地方公共団体の役務の提供を受ける権利を有しているのである（同一〇条二項）。同時に、地方公共団体の区域は、自治権、すなわち地方公共団体の自主立法権、自主財政権、自主行政権の及ぶ地域的範囲を確定する上で重要な意義を有している。したがって、区域は、地方自治の観点から国土を区分するものであるから、国の行政機関の管轄区域である行政区画とは観念を異にする。もっとも、地方公共団体の区域は、国の行政機関（地方法務局、地方財務局など）の管轄区域の構成単位として用いられている。これに加えて、国政上の機能として重要であるのは、国会議員の選挙区を決定するさいの基礎として用いられている点である。そのほかにも、地方公共団体の区域は、商工会議所の活動単位とされたり、各種の企業や団体の活動単位を定める上で利用されることによって、住民の政治的、経済的、社会的、文化的な活動に大きな影響を及ぼしている。

境界紛争の原因

地方公共団体の区域は、右にみたように、住民にとっても地方公共団体にとっても重要な意味を有しているが、地方自治法自体は、地方公共団体の区域は従来の区域による（自治五条一項）とし、自治法施行当時の都道府県および市町村の区域をそのまま利用して定めている。もっともこのような規定の仕方には問題のあるところで、自治法の依拠した市制、町村制などの旧法令による区域の定め方もそれ以前の区域の定め方によっていたため、結局、市町村の区域は明治一一年の郡区町村編成法やさらには江戸時代の町村の区域にまで遡らなければ、区域が明らかにならない場合があるからである。それだけでなく、河川や湖沼などを区域の境界としている場合には自然状況の変化によって境界が不明確になったり、さらには埋立てや干拓による人工的な土地造成によって境界が不明確になることもある。

地方公共団体の境界紛争には、都道府県間の境界紛争もあれば、市町村間の境界紛争もある。そしてその紛争の原因もさまざまである。区域の定めは住民の生活、活動にとっても重要な意味をもつから、たとえば埋立てによる造成地に公園が設けられたりすると、その帰属をめぐって関係住民の対立が生ずることもある。しかし境界紛争の主要な原因はむしろ地方公共団体の欲求に起因することが多い。一般に地方公共団体は、そのプレスティージを高めるために、自己の区域は広ければ広いほどよいとする区域拡張欲を多かれ少なかれ有しているが、紛争の契機として主要なものは、財政収入の増大をはかりたいとする欲求であるといってもよいであろう。たとえば埋立てによって臨海工業地帯が開発され企業進出が行なわれれば、それにともなう固定資産税、大規模償却資産税など地方税の大幅増収が期待されるばかりか、さらにこのような直接徴収による税収増のほかに、区域拡張によって地方交付税その他の税配分の増大をも期待することができる。地方公共団体のこうした経済的欲求が境界紛争の背景にひそんでいる。

境界紛争の解決方式　自治法は、地方公共団体の区域の変更がなされたり、境界紛争の生ずることを予定して所要の規定を設けている。区域の変更に関しては、廃置分合、境界変更および未所属地域編入についてそれぞれ手続が定められている（自治六条・七条・七条の二）。この中で、境界紛争に関係するのは未所属地域の編入であるが、従来いずれの地方公共団体にも属しなかった地域を都道府県または市町村の区域に編入する必要があると認められるときは、利害関係があると認められる都道府県または市町村の意見を予め聴いて、内閣が定めるものとされている。この手続による例として知られているのは昭和二八年一〇月一五日の自治大臣告示で青森県と秋田県沖の久六島が秋田県に編入された事例である。

つぎに市町村の境界紛争に関しては、自治法は三つの処理手続を定めている。まず第一は、市町村の境界に関して争論のある場合である。この場合には、都道府県知事は、いずれかの関係市町村の申請に基づき、自治紛争調停委員の調停に付することができる。また、すべての関係市町村の申請に基づいてなされた調停が不調に終ったとき、もしくはすべての関係市町村が知事の裁定を申請したときは、知事は関係市町村の境界について裁定することができる（自治九条一項、二項）。第二は、公有水面のみにかかる市町村の境界に関し争論のある場合である。この場合には、知事は職権により調停に付することができ、調停不調のときもしくはすべての関係市町村の同意があるときは裁定を下すことができる（同九条の三第三項）。知事の裁定に不服の場合には、関係市町村は裁定書の交付を受けてから三〇日以内に裁定の取消しを求めて地方裁判所に出訴することができる（同九条八項）。また、知事が調停もしくは裁定による解決に適しないと判断したとき、または調停もしくは裁定を申請して目的を達しないまま九〇日を経過したときには、関係市町村は直接地方裁判所に対し、境界確定の訴えを提起することができる（同九条九項）。第三の場合は、市町村の境界が判明ではないがその境界に関し争論がない場合である。この場合には、知事は関係市町村の意見を聴いて決定することができるが、この決定に不服がある場合には、関係市町村は決定書の交付を受けた日から三〇日以内に出訴することができるとされている（同九条の二第一項、四項）。

2　地方公共団体、特別地方公共団体とは何か

地方公共団体の意義　地方公共団体とは何か、その判断基準となる指標は何かという問題は、かつて特別区の区長任命制の合憲性が争われ、市町村と都道府県の二重構造を廃止して道州制を採用しうるかが争われたとき、具体的な憲法解釈の問題となった。

日本国憲法は第八章において地方自治に関する規定を設け、地方公共団体について、組織・運営に関する事項の法定主義（憲九二条）、議会の設置、長・議員および法律の定めるその他の吏員の住民による直接選挙（同九三条）、財産の管理・事務処理・行政執行権および条例制定権（同九四条）、特別法についての住民投票（同九五条）を定めている。他方、地方自治法は、地方公共団体を普通地方公共団体と特別地方公共団体とに区分し、前者に属するものとして都道府県および市町村を、後者に属するものとして特別区、地方公共団体の組合、財産区および地方開発事業団を挙げている（自治一条の二）。

たしかに、地方自治法の規定によると、地方公共団体の種類が一応明らかにされているが、そのうちいずれの地方公共団体が憲法上の地方公共団体に該当するのか、さらには右の六種類の団体の改廃や右以外の団体の創設がどこまで許されているのか、という点は必ずしも明らかではない。これらの問題点については学説上種々の論議のあるところであるが、最高裁は、か

つて特別区長任命制の合憲性が争われた事案で、憲法上の地方公共団体といいうるためには、「事実上住民が経済的文化的に密接な共同生活を営み、共同体意識をもっているという社会的基盤が存在し、沿革的にみても、また現実の行政の上においても相当程度の自主立法権、自主行政権、自主財政権等地方自治の基本的権能を附与された地域団体であることを必要とする」(最大判昭三八・三・二七刑集一七巻二号一二一頁)と判示している。

右に示された最高裁の基準は十分に明確であるとはいいがたいけれども、その含意するところを整理すると、憲法上の地方公共団体といいうるためには、(1)共同体意識を含めて住民の社会生活上の一体性が存在し、(2)住民の生活と密接な関連をもつ地方的事務の処理がその任務とされ、(3)住民の民主的な意思形成を合理的かつ効果的に可能たらしめる統治組織ないし統治制度が保障され、(4)自主立法権、自主行政権、自主財政権等の地方自治の基本的権能が保障されていることが必要であろう。この観点からすれば、都道府県や市町村がその目的、組織、権能等の点で一般的、普遍的な性格をもち、憲法上の地方公共団体に該当することは異論のないところであり、逆に財産区、地方公共団体の組合および地方開発事業団は特定の政策目的のために設けられたもので憲法上の地方公共団体に該当しないことはこれまた異論のないところである。ただ特別区については、右の最高裁は憲法上の地方公共団体にあたらないとしたが、特別区は実質的に普通地方公共団体ときわめて近い性格を有しており、また右にあげた基準に照らしてみても、むしろ憲法上の地方公共団体に該当すると解しうるものである。

普通地方公共団体と道州制

地方自治法が普通地方公共団体として挙げているのは都道府県と市町村である。これはわが国の地方自治法が都道府県と市町村の二重構造をとってきた歴史的沿革に由来するものであるが、このような二重構造がわが国の憲法の要請するところであるかどうかについては見解の対立がある。一方では都道府県を廃して道州という広域の地方公共団体を創造することも憲法上可能であると説く学説もあり、他方では都道府県と市町村による地方自治制は憲法制定時に所与の前提とされたものであって、現在のわが国の地方自治制の本質的要素となっているから、これを改変しえないとする学説もある。この点は憲法の規定だけから直ちに一定の結論を導き出すことは困難である。たしかに、人口の都市部への集中や職場と住居の分離、産業構造の広域化といった現象は、行政の統一的かつ効率的な執行を要請するであろうし、地方行政の平準化によって住民に対する行政サービスの公平化をはかる必要もある。しかし、憲法の理念とする民主主義と地方分権の観点からすると、たんに行政の統一化、効率化といった観点からだけで地方公共団体の単位を広域化することは、右の憲法理念をそこなうおそれも大きいといわなければならないであろう。

特別地方公共団体

特別地方公共団体とは、一定の政策的見地から設けられた特殊の地方公共団体であり、その目的、組織および権能等について普通地方公共団体と異なる性格を有している。また特別地方公共団体全体に共通する特色も存しない。地方自治法は当初特別市、特別区、地方公共団体の組合および財産区の四種を特別地方公共団体としていたが、昭和三一年の改正によって特別市の制度が廃止され、昭和三八年の改正によって地方開発事業団の制度が創設されて、現行法上の四種の特別地方公共団体が定められている。

(1)　特別区　　特別区とは都の二三区のことであり、他の大都市の（政令指定都市）における行政区画としての区とは異なって、独立の法人格を有する。特別区はもともと大都市制度の一環として形成され、市町村のような完全な自治体としての地位を与えられなかったが、戦後の数次の法改正をへて現在では若干の特例を除いて市とほとんどかわらないものとなっている。

(2)　地方公共団体の組合　　地方公共団体の組合とは、都道府県、市町村および特別区が共同して事務処理をするために設置する団体であって、一部事務組合、全部事務組合および役場事務組合の区別がある。

(3)　財産区　　財産区は、市町村および特別区の一部で財産を有し、もしくは公の施設を設けているものがある場合に、その財産または公の施設の管理・処分・廃止についての法主体として法律上の人格を与えられたものである。もっとも、財産区といっても、明治二一年の市制・町村制の制定を契機とする市町村の合併、廃置分合等にさいして設けられたものや、戦後の市町村合併のさいに設けられたものなどがあって態様はさまざまである。

(4)　地方開発事業団　　地方開発事業団は、都道府県または市町村が、共同して総合開発事業を実施するため、その実施委託を受ける団体として設立するものである。これは、地方公共団体の共同事務処理の一方式という性格をおびている。

3　地方公共団体の事務にはどのような事務があるか

地方公共団体と事務　明治憲法下の地方行政制度の下では中央集権主義が基調とされていた。そのため、地方制度に関する旧法令では、法令の範囲内における公共事務と法令または慣例等により府県・郡・市町村に属する事務が地方公共団体の事務とされていたが、実際には、地方公共団体の事務であっても重要なものはほとんど国の事務とされていたばかりか、広汎な国の監督に服せしめられていた。これに対し、日本国憲法は、財産管理・事務処理・行政執行等について地方公共団体の自主的な自治権能を保障しており（憲九四条）、それとともに地方公共団体の事務も戦前のそれに比べて著しく増大している。

地方自治法は、その制定当初は、旧法令にならい、地方公共団体の自治事務についていわゆる公共事務と団体委任事務を定めていたが、現行法の二条二項は、「普通地方公共団体は、その公共事務及び法律又はこれに基く政令により普通地方公共団体に属するものの外、その区域内におけるその他の行政事務で国の事務に属しないものを処理する」と定め、地方公共団体の自治事務として、公共事務、団体委任事務および行政事務の三種を挙げている。

右の三種の事務は地方公共団体の自治事務であるが、これと区別されるべきものにいわゆる機関委任事務がある。すなわち、機関委任事務とは、普通地方公共団体の長その他の機関に対して、法律またはこれに基づく政令により委任された国、他の地方公共団体その他公共団体の事務のことであって、長については地方自治法一四八条二項が、委員会等については一八〇条の八第二項（教育委員会）、一八〇条の九第三項（公安委員会）、一八六条三項（選挙管理委員会）等の規定がある。

公共事務（固有事務）　公共事務ないし固有事務といわれるものは、自治事務の中でも、地方公共団体の存立・維持のために必要不可欠な事務および住民の福祉を積極的に増進するための各種の事務のことをさしている。たとえば、前者に属するものとして、地方公共団体の長および議員の選挙、条例・規則の制定改廃、地方税の賦課徴収等の事務を挙げることができる。また後者に属するものとしては、上下水道・交通・ガス・電気等の事業経営、学校・図書館・公園・病院・市場・公会堂等の設置・管理などがある。これらの事務は住民に対するサービス提供的な事務であり、いずれも非権力的な性質を有するところに特色がある。もっとも、地方公共団体の公共事務には、地方公共団体が自己の責任と負担において自由に取捨選択して行なうことのできる「随意事務」（たとえば高等学校・大学等の設置）と、その事務を行なうべきことを法律で義務づけられている「必要事務」（たとえば、小・中学校の設置、別表第一、第二に列挙されているもの）とがある。

団体委任事務　団体委任事務とは、その性質上、本来国または他の地方公共団体その他公共団体の事務であって、当該地方公共団体の事務とは考えられない事務であるが、

「法律又はこれに基く政令により普通地方公共団体に属する事務」とされる事務である。具体的には、地方自治法別表第一、第二に掲げられている事務の多くがこれに該当し、小・中学校の設置、保健所・伝染病院の設置、卸売市場の設置、失業対策事業の実施、廃棄物の処理、国民健康保険の指導実施、公害防止のために法律で認められているいわゆる上乗せ条例の制定等がそれである。

右の例からもうかがえるように、団体委任事務には権力的に処理される事務もあれば、非権力的に処理される事務もある。団体委任事務は本来当該地方公共団体の事務とは考えられない事務であるから、たとえば、本来国の事務と考えられるものにあっては、国は事務処理のための経費の財源につき必要な措置を講じなければならない（自治二三二条二項）とされている。しかし、団体委任事務も地方公共団体に委任されている以上、当該地方公共団体の自治事務として処理される。そのかぎりでは、公共事務（固有事務）と団体委任事務を区別する基準は明確でなく、かつ区別する実益も乏しい。

行政事務　行政事務の観念は必ずしも明確ではないが、公共事務、団体委任事務と対比して形成されたという沿革および行政事務は条例で定めることを要する（自治一四条二項）と規定されていることの趣旨にかんがみれば、行政事務とは、一般に、住民の福祉を妨げる行為などを除去するための権力的・規制的な事務をさすと解されている。本来、このような事務は戦前の地方行政制度のもとではもっぱら国の事務とされてきたが、今日では、憲法上地方公共団体にも「行政を執行する権能」が保障されているのであるから、地方公共団体は、法律または政令により団体委任事務または国の事務とされていないかぎり、条例を定めて自主的に行政事務を処理することができる。行政事務の例としては、集団示威運動の規制、暴力行為の取締、防犯、防火、公害防止のための規制、青少年保護のための規制等を挙げることができるが、その範囲は必ずしも明確ではない。また、行政事務に関しては、国の規制権限との競合・抵触がしばしば問題となり、それが地方公共団体の条例制定権の限界の問題として論じられている。

機関委任事務　機関委任事務とは、法律またはこれに基づく政令により地方公共団体の長その他の機関に委任された国、他の地方公共団体その他公共団体の事務をいう。したがって、機関委任事務は、地方公共団体の長その他の執行機関に委任された事務である点において地方公共団体自身に委任された団体委任事務と区別される。また、団体委任事務については、他の公共事務(固有事務)および行政事務についてと同様、地方議会の一般的統制権、すなわち、書類等の検閲権(自治九八条一項)、調査権(同一〇〇条)、条例制定権(同一四条一項)が認められるのに対し、長の機関委任事務の管理執行に対しては議会による統制権は排除されており、議会としては意見を述べうるにとどまる(同九九条一項、二項)。

今日、地方公共団体にとって機関委任事務の負担がきわめて大きいばかりでなく、機関委任事務を通じて及ぼされる国の強力な統制も地方自治の観点からみて無視しえない問題をなげかけている。

❖4　地方自治はなぜ必要か

地方自治の理念

今日、地方自治の理念は住民自治と団体自治の二つの要素から成り立っているといわれている。すなわち、住民自治の原則とは、地方の公共的事務の処理を当該地方の住民の参加のもとに住民の意思と責任によって行なわせるという原則であり、団体自治の原則とは、地方の事務について国から独立した法人格をもつ地域団体を設け、これに自らの事務を処理させるという原則である。前者の住民自治の原則は民主主義の理念のあらわれであり、後者の団体自治の原則は地方分権主義の理念に由来するものである。

しかし、このような地方自治の理念はもともと近代国家の形成過程を経てかたちづくられてきた歴史的所産であり、地方自治についての考え方も、国によりまた時代により異なってきた。たとえば、イギリスでは古くから住民による自治の慣行が存在していて、一九世紀に都市団体法（一八三五年）や地方自治法（一八八八年）によって近代的地方制度が整備されてきたときも、こうした長い伝統的な自治の慣行が基礎とされた。これに対し、フランスやドイツではイギリスにおけるような普遍的な自治思想の発達はみられず、自治の理念はわずかに中世都市の発展にともなう都市の自治に見出されたにとどまる。しかしそのような都市の自治も絶対主義的な中央集権国家の登場により衰微していった。フランスやドイツでの近代的地方自治制度は一九世紀に入って形成されたが、そこでの地方自治は、あくまでも強力な統一国家を確立するための統治制度の一環として位置づけられてきた。したがってそこでは住民による自治ではなく、国家行政の効率的な遂行を実現するための地域団体による事務処理という団体自治にむしろ重点が置かれた。地方自治を国家行政の一環に組み込むという考え方はとくにプロイセンにおいて強く認められた。そこでは地方自治の意義は、国家と社会の二元的対立を止揚するための手段あるいは議会制の確立とともに始まった政党政治に対する防壁という点に求められた。

旧憲法下の地方自治

わが国の旧憲法下の地方自治制度も基本的にプロイセンの制度を模倣して形成された。わが国の近代的な地方自治制度は明治二一年の市制・町村制および二三年の府県制・郡制にはじまるといってよいが、ここに形成された地方自治制度は、民主主義の理念からはおよそかけ離れたものであった。何よりもそこでの地方自治の基本的理念は地方自治が住民の権利としてではなく義務であるという観点から出発していた。明治二一年の市制・町村制の法案理由は、地方自治制の目的が「政府ノ事務ヲ地方ニ分任シ、又人民ヲシテ之ニ参与セシメ、以テ政府ノ繁雑ヲ省キ、併セテ人民ノ本務ヲ尽サシメントスルニ在リ」というところにこそ存在するとしていた。すなわち、地方自治制度は「国家統御ノ実」を挙げるための手段であって、それは国家行政の延長線上に位置づけられるべきものであった。したがって、明治憲法下の地方自治制度は、地方行政組織の整備などにより外見上はいちおう近代的な自治制度の外観を与えられていたが、しかし地方団体の自治の権能はきわめて限定されており、しかもその権能も「官ノ監督ヲ承ケ」るべきものとされていた。制度的には、中央政府の支配権を確保するために、府県知事を任命制とするとともに、知事には府県会に対する強い支配権を認めたほか、市町村に対しても包括的な監督権を与える仕組みが作り上げられた。

新憲法下の地方自治　明治憲法下の地方自治制度が官治的性格のきわめて強いものであったことに鑑み、新憲法は地方自治制度を憲法上の制度として礎定し、地方自治の本旨に基づく地方自治の尊重をうたっている。そこに示される地方自治の基本理念は民主主義の原理にある。もちろん、新憲法は国政の基本原理としても民主主義の原則の妥当するべきことを規定しているが、地方自治の保障はこのような民主主義の原則をよりいっそう確実にしかつ強化するという意義をになっている。

今日における地方自治の必要性は大きく分けて次の三つの点に求められよう。

第一は、民主制の強化ということであり、ことに代表制民主主義の欠陥を補充するということである。現行憲法の下では国の次元でも地方の次元でも議会制が採用されており、国民・住民に選挙権が保障されている。しかし、このような代表民主制のもつ欠陥は地方自治法も自覚しているところであって、地方自治法は住民のためにさまざまの直接請求制度を設け、住民訴訟制度を設けている。これは、地方行政への住民の参加こそが民主政治の基礎をなし、住民の民主政治への意識を高めるものであることを前提としているからにほかならない。今日では、地方行政への住民の参加の要求は、自治体の行政計画への参加の要求、教育委員準公選制の採用の要求、さらには情報公開の要求等々、さまざまのかたちをとってあらわれているが、こうした地方自治への住民の関心の高まりが、国の行政へ影響を及ぼしつつあり、その意味でも、ブライスのいったように、「地方自治は民主政治の最良の学校」であるということができる。

第二は、地方自治が現代国家の不可避的な中央集権化の傾向に対する歯どめであるということである。現代国家の行政の特徴の一つは、その大規模化、画一化、計画化という点にある。たとえば、経済運営、生活必需物資・エネルギーの供給、工業開発、交通網の整備、都市環境の整備といった事業を例にとっても、そこでの行政のさまざまの施策は複雑かつ有機的な関連を有しており、それだけに、必要な財源を確保し、行政の効率性を高めるためには、行政の大規模化、画一化、計画化は避けがたいものとなっている。と同時にこうした現象はまた中央政府の権限の強化・集中という傾向を生み出している。逆に言えば、そのことは、行政の全体的な効率性のために、それぞれの地方の住民の意向・要求が切り捨てられる危険のあることを示している。地方自治はまさにこうした傾向に対する防波提の役割をになっているのである。

第三は、現代行政の多様化に対する対応の必要性である。現代の行政は、警察的規制および課税を中心としたいわゆる侵害行政に尽きるものではない。むしろ住民の福祉の増進をはかる行政が重要な部分を占めるにいたっている。しかも、行政に対する住民の需要は多様化し、複雑化してきている。住民のこのような需要を満たすことは中央政府の画一的な行政では不可能であり、むしろ地域の実情にそったきめこまかな行政は自治体こそがなしうるのである。

▲5　府県と市町村はどのような関係にあるか

基本的性格　都道府県および市町村は旧憲法下の地方制度によって形成されたものであるが、それらの性格や法的位置づけはかなり異なった。町村といっても北海道の町村とそれ以外の府県の町村とは法的扱いが異なり、また郡制施行時（明治二三年―大正一二年）は市と町村の法的取扱いも異なった。しかし、都道府県との対比でみると、市町村は自治体たる普通地方公共団体とされていたのに対し、都道府県は自治体としての性格が稀薄であった。たとえば、これを府県についてみると、府県は明治四年の廃藩置県による発足当初にたんなる国の行政区画とされ、その後明治二三年の府県制によってはじめて国の行政官庁である府県知事の管轄する国の行政区画をその区域とする地方公共団体とされたのであった。しかし、府県は多くの点で市町村と異なり、知事は中央政府による任命制とされて知事に強力な権限が与えられ、他方、府県会の議決事項はきわめて限定されていた。基本的には府県は自治団体であるというよりも、中央政府の官吏たる知事の管轄区域を定めるための単位にしかすぎなかったといってよいであろう。これに対して、地方自治法は都道府県と市町村という重層的地方自治制度をうけついでいるが、都道府県も市町村もともに普通地方公共団体として基本的に同一性格の公共団体としている。したがって、自治体としての権能としてみれば、都道府県と市町村との間には上下関係ないしは監督関係のないことが原理的には建前である。しかし実際には、市町村が基礎的な地方公共団体であるのに対し、都道府県は市町村を包括する広域の地方公共団体であることに鑑み、地方自治法は都道府県と市町村の関係を規律するいくつかの規定を設けている。

事務配分

まず第一は、事務配分である。地方自治法は普通地方公共団体の処理すべき事務のうち、総合開発計画の策定や産業立地条件の整備に関する事務のように広域にわたる事務、義務教育・社会福祉・公衆衛生の水準・基準の維持といった統一的な処理を必要とする事務、国と市町村の連絡や市町村相互間の事務処理に関するあっせん・調停・裁定、不服申立てに対する裁決といった市町村に関する連絡調整の事務、および一般の市町村が処理することが不適当であると認められる程度の規模の事務を、都道府県の事務としている。これに対し、市町村は、基礎的な地方公共団体として右の四種の事務以外の事務を処理するべきものとされている。このような事務配分の関係は、市村町を第一次的な地方公共団体とする立場にたつものであるということができる。ただしかし、現実の具体的法規による事務配分は必ずしも右の原則によっているわけではなく、むしろ都道府県への事務配分にかたよっているきらいが認められ、その意味では市町村優先の原則が地方制度の改革にさいししばしば強調されてきているのである。

都道府県の調整権能

第二に、都道府県と市町村は対等であるといっても、実際上、都道府県が市町村を包括する広域の地方公共団体であることから、前者に一定の調整的権能が認められている。

その第一は、統制条例である。一般に、市町村および特別区は、当該都道府県の条例に違反してその事務を処理することはできないが(自治二条一五項)、それだけでなく、都道府県は、市町村の行政事務に関し、法令に特別の定めがあるものを除いて、条例で必要な規定を設けることができ、この統制条例に違反する市町村の条例は無効とされる(同一四条三項、四項)。市町村相互間の事務処理の調整に関してはすでに地方自治法二条六項三号が都道府県の事務として定めているが、一四条三項、四項の規定は、都道府県に統制条例の制定権を認めたのである。たしかに、行政事務の処理にあたって、近接の市町村間で著しい差があるというのは住民にとっても好ましいことではないから、その限りで統制条例の認められる合理的理由は否定しえない。ただ、それが市町村の自主的な立法権に対する制約である以上、統制条例制定の要否は、都道府県単位の統一的規律の必要性、合理性を検討して決められるべきであり、その内容も一定の準則的規律にとどめられるべきであろう。

右の統制条例のほかにも、地方自治法は、市町村の廃置分合、境界変更ならびに町村を市とし、村を町とする処分について、都道府県知事が議会の議決を経てこれを定めるものとし(自治七条一項・八条三項)、そのさい町の要件は都道府県の条例で定めるものとしている(同八条二項)。また市町村の境界紛争について、それを調停に付しもしくは裁定する権能が都道府県知事に認められ(同九条一項、二項)、争論のない場合には、境界の決定権が認められているほか(同九条の二第一項)、市町村の規模の適正化を図るため関係市町村に勧告することができるとされている(同八条の二第一項)。

都道府県の監督的権能

現行地方自治法は地方公共団体の自主性を尊重するために、原則として国による権力的な関与を否定している。しかし地方公共団体に対する国の行政的関与は認められており、その一環として都道府県知事が市町村に関与することができるとされている。具体的には、都道府県知事は、市町村に対し、組織および運営の合理化に資するため技術的な助言・勧告をすることができ、また必要な資料の提出を求めることができる(同二四五条一項、三項)。さらに知事は、必要と認めるときは、市町村の財政に関する事務について報告を求め、書類を徴し、視察し、出納を検閲することができる(同二四六条)。

そのほかにも、知事には、市町村議会の議決または選挙の取消しの裁定(同一七六条)、市町村相互間の紛争に関しての調停にかかわる権限(同二五一条)、市町村議会議員の資格に関する議会の決定に対する裁決(同一二七条四項)、公の施設の利用や過料に関する市町村長の処分に対しての審査請求の裁決(同二四四条の四・二五五条の二)などの権限が認められている。

最後に、都道府県と市町村の関係に関するものではないが、機関委任事務に関する知事と市町村長間の指揮監督関係もみのがすことはできない。

6　同じ区でも東京都の区と大阪市の区とでどこが違うか

都の区

地方自治法二八一条一項は、「都の区は、これを特別区という」と規定している。現在、都として存在する地方公共団体は東京都のみであって、東京都は一般の市町村のほかに二三の特別区からなっている。特別区は、地方自治法上、特別地方公共団体に位置づけられており（自治一条の二）、独立の法人格を有する（同二条一項）。

もともと、特別区の制度は、明治二一年の大都市制度についての市制特例に遡るものであり、区を設置して、知事の補助機関たる区長をしてその諸事務を処理させたことに由来する。その後明治三一年に東京市、大阪市および京都市の三市が他の市と同様に基礎的地方公共団体の地位を得たのにともない、区は市の下部機構となった。昭和一八年には東京に都制が採用され、旧東京市内の区はそのまま都の下部機構として残された。ようやく戦後になって、昭和二二年の地方自治法の制定にあたり、区にも市と同様の地位が与えられ、区長公選制も導入されたが、昭和二七年の改正により区は都の内部的団体とされ、区長公選制も廃止された。ところが、昭和四〇年代になって自治行政への住民参加の要求が高まるにつれ、区長の準公選運動が盛んになり、昭和四九年の改正に至って区長公選制が再び採用され、あわせて区の権能も大幅に拡充された。現在では、特別区は形式的には市とほとんど変わりのないものとなっている（同二八三条一項)。すなわち、特別区は、その事務に関しては、法令によって都が処理することとされているもの(たとえば、都市計画決定に関する事務、下水道に関する事務、廃棄物処理および清掃に関する事務等)を除き、(1)その公共事務、(2)法令により市に属する事務、(3)法令により特別区に属する事務、(4)その区域内におけるその他の行政事務で国に属しないものを処理する。また特別区には、一般の市におけると同様に、議決機関としての区議会(ただし、議員の定数は六〇人をもって定限とされている)、執行機関としての区長、委員会または委員が置かれ、特別区はその自治権の行使として、条例・規則を制定し、みずから行政を執行することができる。このような自治権能をもつという点で、特別区は指定都市の区とは異なっている。

しかし、もともとが大都市制度の一環として形成されてきた特別区の特質から、一般の市とは異なる若干の特例が残されている。それは、右にみた特別区の事務について、法令により都に留保されている事務が存在することから明らかなように、大都市行政の総合的かつ一般的な運営を確保する見地から、都には特別区相互間の調整のための調整条例を制定する権能が認められている(同二八二条一項)。この調整条例は、規定の文言および趣旨からして、特別区の行政事務についてだけでなく、公共事務についても及びうる。と同時に、特別区は都の調整条例に違反してその事務を処理しえず、違反行為は無効となる(同二条一五項、一六項)。

さらに、都は、特別区が処理する事務および特別区の執行機関の権限に属する事務の処理または管理執行に要する経費の財源について、条例で、都と特別区および特別区相互間の調整上必要な措置を講じなければならない（同二八二条二項）。このような措置として、特別区財政調整交付金、納付金の制度が設けられている。この制度は国の地方交付税制度と類似しているが、基準財政需要額と基準財政収入額を算出して、収入額が需要額に満たないときに差額を補てんするだけでなく、逆の場合に納付金を都に納付させ、それを格差是正の財源の一部にあてる点で地方交付税制度と異なる。なお、特別区相互間の財政調整ということにも関連して、特別区が課する普通税の新設および変更については都の同意を必要とする。

最後に、地方自治法は、都と特別区および特別区相互間の事務処理の調整を図るため、都知事に特別区の事務の処理の基準を示す等、必要な助言・勧告をする権能を認め（同二八二条五項）、また都区協議会の制度を設けている（同二八二条の二）。

指定都市の区　右に述べたように、東京都の特別区は特別地方公共団体として法人格を有し、かつ自治権能を有する。これに対して指定都市の区は法人格を有しない。この点が特別区と指定都市の区との決定的な相違点である。地方自治法上、指定都市は、市長の権限に属する事務を分掌させるため、条例で、その区域を分けて区を設け、区の事務所または必要があると認められるときはその出張所を置かなければならない（自治二五二条の二〇第一項）。したがって、指定都市の区は、自治権能を有する自治区ではなく、もっぱら行政の事務処理の便宜のために設けられる行政上の区画としての行政区であるにすぎない。指定都市の区が自治区ではなく単なる行政区にとどめられている理由は、都制をとる東京都とそれ以外の大都市との差にも由来するが、基本的には、指定都市の区が自治区となると、国――府県――市町村というわが国の地方自治行政の基本的体系が維持されえないことになる、という点にある。しかし、他方で、指定都市に区が設けられるということは、大都市行政を円滑に行なうという点で指定都市自体にとっても市政がより市民の身近なものになるという利点がある。すなわち、区が設けられることにより、市政に対する市民の意識が高まり民主的統制監視の実を挙げることができ、市民にとって必要な日常的事務が身近かなところで処理され市のサービスを受けやすくなる。

つぎに、指定都市の区の機関については、地方自治法は、区の事務所または出張所の長および選挙管理委員会について規定するのみで、その他については政令の定めるところに委ねている。それによると、区には事務所の長として区長が置かれる。指定都市の区長は、特別区の区長のように公選によるのではなく、指定都市の市長が事務吏員の中から任命する。区長のほかに、区収入役もおかれ、市長が事務吏員の中から任命する。区長の補佐役としての区助役および区収入役の補助者としての区出納員・区会計職員については任意設置することができる。

区の選挙管理委員会は必要機関であり、原則として市の選挙管理委員会の規定が準用される。指定都市の区は自治権能を有しないから、区自体の議決機関としての議会を置くことはできない。

7　政令指定都市と一般の市とどこが違うか

大都市制度の意義

戦前のわが国の地方行政制度には中央集権主義の原理が貫徹していたが、このことはとくに大都市制度にも妥当した。大都市行政を中央政府が掌握するという思想は、明治二一年の市制において東京、京都、大阪の三市に対する市制特例にもっとも顕著にあらわれている。そこでは市長および助役を置かず府知事および書記官がその職務を行なうという制度がとられていた。しかしこうした特例も三市の側からの激しい撤廃の要求を受けて明治三一年に廃止されている。その後大正一一年には東京、京都、大阪、横浜、神戸、名古屋の六市について、市の公共事務および委任事務の一部について許認可等を不要とする特例が設けられた。そして昭和一八年には東京府と東京市の合体による都制が施行された。けれども、このような戦前の大都市制度は、これを全体としてながめると、大都市における行政需要に対応し大都市のさまざまの問題に対処するために、大都市の機能を高めその組織構造を確立するという観点から形成されたものではなく、むしろそれは、つねに官治的な地方行政制度の枠組みの中に位置づけられてきた。

これに対し、戦後の地方自治法は、当初、東京については都制を残置するとともに、他の大都市については特別市制を設け、これに通常の市の機能にあわせて都道府県の機能を果させようとする制度を設けた。しかしこの特別市制に対しては都道府県の側や大都市以外の残存区域の住民の強い反対があり、また特別市指定のための法律には関係地方住民の投票を必要としたこともあって、実際には一の特別市も実現することなく、この特別市制度は昭和三一年の法改正により廃止され、これにかえて指定都市制度が設けられた。

戦後のわが国の、地方自治制は都道府県と市町村の二重構造を基礎としているが、しかし市町村と一口にいっても、その実態はさまざまであって、とくに大都市にあっては、公害・交通・住宅・教育・公衆衛生・医療などにかかわるさまざまの都市問題があり、その事務は質量ともに増大複雑化している。他方、大都市は府県の補完を必要としないほどの行財政能力をもつものも少なくない。したがって大都市におけるさまざまの問題解決のために、大都市行政の自主的な機能を高めかつ都道府県行政との不必要な重量的二重行政を避ける観点から、大都市について一般の市町村とは異なる特別の制度を設ける必要性は否定しえない。ただ現行の指定都市制度がその必要性に十分答えるものであるかどうかは別個の問題であって、この点に関してはむしろ現行の指定都市制度の再検討を求める声が強いのである。

指定都市制度と特例　指定都市とは、政令で指定する人口五〇万以上の市であるが（自治二五二条の一九第一項）、実際には市の行財政能力を勘案して、現在のところ概ね人口一〇〇万以上の市が指定の対象とされ、大阪、名古屋、横浜、京都、神戸、北九州、札幌、川崎、福岡、広島の一〇市が指定されている。これらの指定都市に関しては、都道府県との事務配分、行政上の監督、行政上の組織および財源の確保について特例が定められている。

(1)　都道府県との事務配分の特例　　地方自治法二五二条の一九は、都道府県と指定都市との二重行政を是正するため、法令上、都道府県の事務または都道府県知事その他の機関の権限に属せしめられている事務で、第一項各号にかかげる一七項目のものの全部または一部を指定都市またはその長の権限に委譲している。事務委譲の具体的内容は政令に委任されているが、法自体は、児童福祉、民生委員、身体障害者の福祉、生活保護、母子家庭の福祉、老人福祉、母子保健、食品衛生、興行場、旅館、公衆浴場の営業の規制、都市計画、土地区画整理事業、屋外広告物の規制等に関する事務等を挙げている。ここに挙げられた事務はいずれも市民の生活に密接な関連をもつ事務であるが、大都市行政の能率的な運営のためには右の事務委譲だけで十分だとはいえない。また指定都市への事務委譲といっても、市の区域を超えて統一的に処理されるべき事務、都道府県全般にわたる統一的な基準の設定に関する事務等についてはなお都道府県に留保されている。

(2)　行政上の監督についての特例　　地方自治法二五二条の一九第二項は、大都市行政における二重監督を避けるため、指定都市またはその機関の事務処理、管理執行にさいし都道府県知事の許認可等の処分を要する事項については、政令の定めるところにより、これらの処分を要せず、またはこれらの処分に代えて主務大臣の処分を受けるものとしている。このような特例は、右に挙げた都道府県から指定都市に委譲された事務およびこれに類するものならびに昭和三一年以前において「五大都市行政監督ニ関スル法律」に基づいて特例が認められていた事務について認められている。したがって、たとえば、指定都市が児童福祉施設あるいは生活保護施設を設置しようとする場合には、知事の許可に代えて主務大臣の許可にかかわらしめられることとされている。ただし、指定都市の市長が国の機関として処理する行政事務については、地方自治法一五〇条の規定により都道府県知事の指揮監督を受ける。

(3)　行政組織上の特例　指定都市は、市長の権限に属する事務を分掌させるため、条例でその区域を分けて区を設けることができる。ただし、指定都市の区は自治区ではなく行政上の区画である行政区にとどまる。また、指定都市には人事委員会、福祉事務所、保健所の設置が義務づけられている（地公七条、福事一三条、保健一条）。

(4)　財源の確保に関する特例　指定都市には一般の市町村に認められていない財源が法律によってとくに認められている。たとえば、地方道路譲与税、石油ガス譲与税の国からの譲与（地方道路税法一条、地方道路譲与税法一条、石油ガス譲与税法一条）、軽油引取税の都道府県からの交付（地税七〇〇条）、事業所税の賦課（地税七〇一条の三〇）、普通交付税の額の算定についての特例（交付税一四条）、当せん金附証票の発売の権限（当せん金附証票法四条、地財三二条）などがそれである。

8　広域行政の必要性には、どのようにしてこたえるべきか

広域行政の要請　わが国では昭和三〇年代の終り頃から、高度経済成長政策や地域開発政策が推進され、その結果国民の経済生活、社会生活の著しい広域化の現象がみられるようになった。一方では、人口や産業の都市集中にともなって、道路・住宅・学校・公園・医療施設・下水道・じん芥処理場などの建設整備のために行政投資の拡大と効率化の必要性が指摘され、水資源の確保、消防救急業務体制の確立、あるいは広域的な公害規制の必要性が指摘されてきた。他方ではしかし、人口流出にともなう農山村地域の過疎問題やこれらの地域における地方自治体の行財政能力の低下にともなう行政サービスの劣悪化といった問題も指摘されてきた。

もっとも、これまで広域行政の要請にはさまざまの観点からのものがあった。行政の効率化や中央集権化を求める立場もあれば、行政の簡素化により経済活動の自由の拡大を求める立場もあり、さらには、住民の福祉の増進のために行政サービスの水準を高めることを求める立場もあった。このように広域行政の要請にはさまざまの立場があることに注意しなければならないが、地域住民の福祉の増進ために行政の広域化が要請されていることも一面の真実であり、現代の地方公共団体は広域行政の要請を避けて通ることはできない。

広域行政と行政区域の再編　広域行政の要請に答えるためには、いくつかの方法がありうる。その一つは、行政区域そのものを再編して地方公共団体の規模を拡大することである。その二は、地方公共団体相互の協力体制を確立する方法である。

地方公共団体の区域の再編はこれまでにも試みられてきた。戦後の昭和二八年から昭和三二年頃にかけて市町村合併が全国的に政府の強力な指導のもとに実施されてきた。都道府県の合併についても、実現はされなかったけれども、東京・神奈川・千葉・埼玉各都県の合併、東海三県の合併、大阪・奈良・和歌山三県の合併が論議されてきた。とくに府県の再編については、昭和三二年の第四次地方制度調査会の「地方制」案、いわゆる道州制案が注目された。しかし、合併による地方公共団体の区域の再編についてみると、それぞれの地域の住民の利害対立を調整することは必ずしも容易ではなく、道州制度のような都道府県制の大改編は、住民と自治体との距離が遠ざかるばかりでなく、強力な国と道州が弱小の市町村と直接に対置される構図となり、いずれも民主的な地方自治制の根幹にかかわる問題をはらんでいる。

地方公共団体相互間の協力　広域行政の要請に対処するために、現行地方自治法は大別して二つの協力方式を採用している。

(1)　その一つは、地方公共団体相互の協議によって事務組合あるいは地方開発事業団といった特別地方公共団体を設置して協力する方式である。地方公共団体の組合は、複数の地方公共団体がその事務を共同して処理するために設ける複合的な地方公共団体であり、独立の法人格をもつ。これには、一部事務組合、複合的一部事務組合、全部事務組合、役場事務組合がある。このうち、全部事務組合および役場事務組合は町村が設立主体となるが、これが知事の許可を得て設置されると、組合内の各町村の執行機関や議会の消滅に至るので、これまで設置された例は存しない。これに対し、一部事務組合は戦前からの制度で歴史も古く、またその設置数も多い。一部事務組合は、原則として、普通地方公共団体である都道府県、市町村および特別区が設置主体となる。一部事務組合は特別地方公共団体とされ、規約において、組合の共同処理する事務、組合の議会の組織および議員の選挙の方法、組合の執行機関の組織および選任の方法、組合の経費の支弁方法等が定められる。これまで一部事務組合は、し尿・ごみ処理、消防、伝染病などの衛生関係のほか、福祉関係、教育関係の事務に関して多く設置されてきている。

一部事務組合が一つの事務ごとに設置されるのに対して、昭和四九年の地方自治法改正によって導入された複合的一部事務組合は、し尿処理とごみ処理のように相互に関連する事務であれば、複数の事務を共同で処理するために設置することができる。複合的一部事務組合の設置主体は市町村に限られているが、市町村の事務が過度に組合に委ねられることによる市町村の形骸化を防ぐために、昭和四九年の法改正にさいして、複合的一部事務組合に対する行財政的措置によってその構成団体である市町村の自主性をそこなってはならない旨の国会の付帯決議がなされている。

事務組合のほかに地方開発事業団を置く方法があるが、この方法はあまり活用されていない。

(2)　その二は、地方公共団体がその自主性と行政執行の主体としての地位を維持しながら、団体相互の協力によって事務の協同処理をする方式である。これにもさまざまのものがある。例は多い。①公の施設の区域外設置と施設の共同使用（自治二四四条の三）　じん芥処理場、病院などその②地方公共団体の協議会（同二五二条の二）　これは、普通地方公共団体が、団体の事務の一部または機関委任事務の一部を共同して処理するため、協議により設けるものである。自治法の規定によれば、協議会の設置には議会の議決、自治大臣もしくは都道府県知事への届出が必要であるが、このような正式の手続によらない事実上の協議会も多く存在している。③機関・職員の共同設置（同二五二条の七）。④事務の委託（同二五二条の一四）　これは、団体の事務もしくは機関委任事務の一部を協議により規約を定めて、他の地方公共団体に委託し、受託団体の長または同種の委員会もしくは委員をして管理執行させるものである。⑤相互救済事業経営の委託（同二六三条の二）。⑥職員の派遣（同二五二条の一七）。⑦地方公共団体の全国的連絡組織（同二六三条の三）　全国知事会、全国市町会等がその例である。

(3)　右のほかに、地方自治法上の協力方式によらないものもある。たとえば地方行政連絡会議法による地方行政連絡会議もあり、国土総合開発法が定めるような、関係都道府県の協議による地方総合開発計画作成もある。また法制度上のものではないが、昭和四四年から自治省の指導と財政的補助のもとで進められてきた広域市町村圏構想による協力もある。現在ではこの広域市町村圏の設定に関係している市町村数は全市町村数の九割に達しているといわれている。

〈参考文献〉

地方自治協会・境界紛争とその解決（昭五五）。
杉村敏正・室井力編・コンメンタール地方自治法（勁草書房、昭五四）。
柳原　瑛・ジュリスト別冊地方自治判例百選二四頁。
阿部泰隆・ジュリスト別冊地方自治判例百選一〇頁。
綿貫芳源・ジュリスト増刊憲法の争点二〇六頁。
室井力編著・行政事務再配分の理論と現状（勁草書房、昭五五）。
川西　誠「特別区（都の区）に関する研究」日本法学二九巻五号。
松岡恒憲「行政区の性格と機能」都市問題研究二四巻三号。
室井　力・現代行政法の原理（勁草書房、昭四八）。
田中二郎ほか・広域行政論（有斐閣、昭三八）。

2　地方自治（地方行政）と住民の地位

9　教育委員はなぜ直接に公選できないのか

教育委員会の役割

(1)　教育委員会は、戦前における官僚主義的中央集権的な教育行政が果たした弊害が反省された結果、憲法上保障された地方自治の本質的要素をなす住民自治の制度的表現として、一九四八年の旧教育委員会法によって設けられた。これは、「教育は、不当な支配に服することなく、国民全体に対し直接に責任を負つて行われるべきものである」（教基一〇条一項）ことを考慮し、「公正な民意により、地方の実情に即した教育行政を行うため」（旧教委一条）のものであった。その委員会は、議会選出の委員一人を除いて住民が選挙する委員によって構成された（公選制）（同七条二項）。この点こそ、戦後の教育行政における三原則である、①教育行政の民主化＝民衆統制、②教育行政の地方分権化、③教育行政の一般行政からの独立、を具体化するもので、戦後教育改革の象徴的表現であった。

(2)　しかし、この公選制は、議場に警官隊を動員して強行採択の結果成立した現行「地方教育行政の組織及び運営に関する法律」（以下、地教行法という）によって廃止され、首長が議会の同意を得て任命することになった（任命制）（教育行政四条）。なるほど、全国の自治体に一律に公選制委員会を採用するについての人材や財政能力の問題のほか、行政委員会全般にかかわる一般行政との組織上、責任上の問題もあったが、なによりも、この委員会の果たす自治的民主的機能が、いわゆる逆コースの時期に戦後の旧警察法上の自治体（市町村）警察などとともに統治機構の官僚的中央集権的な再編に障害となったのである。地教行法は、①教育の政治的中立と教育行政の安定の確保、②教育行政と一般行政との調和、③国・都道府県・市町村一体の教育行政制度の樹立を目的としたが、結果として、教育委員会は自主性・自律性を著しく弱め、統治団体相互の関係においては中央集権的教育行政の末端機構と化し、自治体内部においては一般行政権への従属傾向が顕著で、諮問機関になりつつあるともいえる。こうした教育行政システムと最近における教育課題の山積を背景に地方自治の憲法的保障の立場から教育委員会の機能回復を試みたのが、以下にみる準公選制である。

準公選制の仕組み　東京都「中野区教育委員候補者選定に関する区民投票条例」は、一九七九年五月二五日に公布された。これは、東京都の区長公選制復活（一九七四年）を導いた区長準公選制や日本復帰後の沖縄における「沖縄県教育会委員の選定要綱」（一九七二年）による教育委員候補者の推せん制を参考にしながら、直接請求制度のひとつである条例の制定改廃請求権（自治一二条一項・七四条以下）を区民が行使して成立に至ったものである。

一九八〇年五月の改正条例（以下、本条例という）の内容は次のとおりである。すなわち、「区民の自由な意思が教育行政に反映されるよう民主的な手続を確保し、もつて教育行政の健全な発達を期することを目的」（一条）とし、区長が教育委員を任命するに先立ち四年ごとに郵便投票を行ない（三条二項）、区長は「その結果を参考にしなければならない」（二条）。教育委員立候補者は、「教育に関して深い理解と識見を有するもの」とされ（四条）、区民六〇人以上百人未満の推せんを得なければならない（五条二項）。そして、選挙運動は、教育的・文化的選挙であることに鑑みて、「区長と候補者が別に定める協定」に則り、中立・公正に行なわれなければならない（五条）。第一回の選挙は、一九八一年二月に実施された。

準公選制は違法か　(1)　本条例の定める準公選制の違法説の論拠は大きく二点に整理できる。第一は、条例二条で区長に対し投票結果の「参考」（当初の条例では「尊重」となっていた）を義務づけるのが、地教行法上与えられた長の専属的な固有の権限である教育委員候補者の選定権を侵害する、ということにある。これに対しては、①法上、長の任命権の行使には議会の「同意」が効力要件とされており、例えば、同じく議会の同意が必要とされる副知事・助役の選任の場合（自治一六二条）にこれらの職が長との特別の信任関係を基礎とするから選定権・任命権がともに長に帰属するのと異って、教育委員会の場合は一般行政組織からの一定の独立性が求められるという本来の教育行政の趣旨を考えれば、議会は同意権行使の一般的事前的準則を条例で制定することは可能と解されること、②区長は投票結果の「参考」が義務づけられているだけで、選挙協定（条例八条二項）に反したり、罷免事由に該当する候補者は独自の判断で選定しないことができることなどを理由とする適法論がある。

第二は、本条例が予定する区民投票とこれに伴う投票勧誘運動が政治的中立性を要求する地教行法の趣旨に反するという点にある。これに対し適法論は、長・議会ともに政治選挙によって選出されるもとでの任命制の方にかえって特定政党の介入による中立性破壊の危険があり、その点ではいずれの制度でも同じ可能性をもつが、本条例においては、憲法や教育基本法の基本理念をうけて、既述の推せん制度や「文化的選挙」にふさわしい選挙方式をとることによって対処されている、と述べる。

(2)　問題は、地教行法のレベルにおいてのみならず、憲法や教育基本法の趣旨に立ち帰って検討することである。第一に、憲法九二条の「地方自治の本旨」という概念は、不確定な法概念で、その内容を明確に提示することは容易でないが、複数の解釈のうちからより「本旨」に適合する解釈を選ぶことを求める。そこで、憲法九三条二項で住民が直接選挙する「その他の吏員」が、教育委員会法の廃止後、存在しない状況こそ憲法の趣旨に反すること、「国民固有の権利」としての公務員の選定罷免権（憲一五条一項）および憲法上保障された自治体の組織のあり方を決める権能（自治組織権）を考慮すれば準公選制は積極的に考えられることになる。

第二は、教育基本法一〇条一項の「国民全体に対し直接に責任を負つて」という文言がもともと一般行政に対する教育行政の独立性を前提として、議会制民主主義とは独自の住民に対し直接に責任を負う仕組みとして教育委員公選制が考えられていたことであり、準公選制はそれへの次善的回帰として把えられる。最高裁も「それぞれの地方の住民に直結した形で、各地方の実情に適応した教育を行わせるのが教育の目的及び本質に適合する」こと自体は認めているのである（最大判昭五一・五・二一刑集三〇巻五号六一五頁）。

10　市民が汚職市長をやめさせるにはどうしたらよいか

長を辞職に追い込む道

長の失職事由はかなりあるが、汚職の発覚が契機であれば、刑事責任追求との関係が問題となる。住民が告発し（刑訴二三九条一項）、長の逮捕にまで進んでも必ずしも失職には至らない。長は被選挙権を喪失すると失職するが（自治一四三条）、これに該当するのは執行猶予の付されない禁錮以上の刑が下される場合であるから（公選一一条）、判決の確定までの時間を考慮すると、これは必ずしも有効な手段ではない。

第二に、住民意思が正確に議会に反映されている場合、議会での不信任決議が考えられる。

第三に、住民は、解職（リコール）請求権を行使することができる。解職請求は、長のほか、①議員、②副知事・助役、出納長・収入役、選挙管理委員、監査委員、公安委員会委員、教育委員会委員について認められるが（自治八〇条・八六条）、さらに、特定範囲の住民には、③農業委員会委員（農委一四条）、④海区漁業調整委員会委員（漁業九九条）、⑤土地改良区総代（土地改良二四条）の解職請求権もある。長、議員および④と⑤については解職投票が行なわれ、過半数の同意により失職するが、②の各役員については住民の請求後、議会が解職の是非を決定する。これは、④・⑤の処理や③における選挙権者の二分の一以上の署名でただちに失職する規定との均衡を欠くともいえるが、伝統的な代表制理論からは、解職請求は間接民主主義の補完的制度で、告発的機能を有するにすぎず、事案の決定は本来の権限者に委ねられたもの、とされている。この点はともかく、長の解職投票を認める現行制度は、公務員の選任・罷免権を定めた憲法一五条を具体化するものである。

リコールの手続　リコールの手続は、大きく、(1)法定署名数の署名の収集過程と、(2)解職投票過程に分かれる。

(1)　長の解職請求は、無投票当選の場合を除くほか、就職の日または当該長の前回の解職投票の日から一年間は行なうことはできない（自治八四条）。請求のためには、有権者総数の三分の一以上の署名が必要であるが、この収集手続は、若干の点を除き、条例制定改廃請求の手続と同じである。請求代表者は、請求の要旨（千字以内）その他を記載した請求書を添えて請求代表者証明書の交付を選挙管理委員会（選管）に申請する。代表者が有権者であることが確認され、証明書が交付されてから、都道府県にあっては二か月以内、市町村にあっては一か月以内に収集が行なわれねばならない。署名収集は代表者以外の有権者（受任者）も氏名等を選管に届け出て行なうことができる（自治令一一六条・九二条）。

署名数が法定署名数以上になると、請求代表者から一定期間内に選管に対し署名簿が提出され、選管は署名の効力を審査したのち、署名押印者総数・有効署名総数を告示し、署名簿を関係人の縦覧に供する。署名の効力の決定に対しては争訟を提起することができる（自治八一条・七四条の二、自治令一一六条・九四条—九五条の二）。

(2)　長の解職の正式の請求は、署名簿の署名の効力が確定した日から、一〇日以内(都道府県)または五日以内(市町村)に選管に対して行ない、解職投票は、本請求の受理の告示の日から六〇日以内に行なわれる(自治八一条・七六条、自治令一一六条の二・一〇〇条の二)。

手続の厳格さと、のちにみる問題点を考えるとリコールの成立までには、強固な住民運動組織、十分な法律知識および周到な計画が必要とされる。

リコール手続上の問題点　間接民主主義の基本システムの中で直接請求制度に至上の価値をおくことはできないが、住民自治の保障の観点から検討を要する問題がいくつかある。

(1)　国の一般職の公務員や教育公務員は、政治活動が禁止されるため(国公一〇二条一項、人規一四―七第六項九号、教公特二一条の三)、請求代表者や署名収集受任者にはなれない(ただし、教育公務員には刑事罰はない)。地方公務員が自らの勤務する自治体の区域外では右の制約はないことと扱いを異にしている(地公三六条を参照)。さらに、長の解職請求のように投票を伴う場合には、請求代表者の地位が公職の候補者と同一視されるため、国家・地方、一般職・特別職をとわず公務員は、ほぼ例外なく代表者にはなれない(自治八五条一項、自治令一一八条、公選八九条)。このような制度は、公務員の公的影響力や職務上の地位利用による不公正を排除する趣旨と考えられるが、一種の職業と考えられる公職の候補者になる場合と日常的な運用を予定するこの代表制の補完システムを一律に扱うことは、就業人口における公務員の比率の大きさ、公務員の有する高度の政治意識の活用という点からみて再検討の余地がある。

(2)　法定署名数が三分の一以上という要件は、解職投票の投票率を考慮するとき、実際上、投票者の過半数程度の署名を要求するに等しく、直接請求の本来の趣旨から疑問があり、事実上請求を不可能とすることもある。都道府県や大都市での実例がほとんどないのもこうした理由による。署名の収集期間（自治令一一六条・九二条）についても、類似の問題がある。

(3)　署名収集運動の自由を保障し、その適正を担保する規定の中に、成規の手続によらない署名収集者を処罰の対象とするものがある（自治八一条・七四条の四）。違法に収集された署名を無効とするに加えて、刑事制裁を設けることは、署名収集運動に対する警察的介入の危険と運動規制効果をもたらしうる。

(4)　署名収集過程の署名運動と解職投票過程の投票運動には理論上も法律上も明確な区別があり、前者には公選法の選挙運動規制の規定が全く準用されないのに対し、後者では部分的準用がある。ところが、署名運動では、文書図画の種類・枚数が無制限で、事務所数、戸別訪問、自動車使用などが無規制であるといっても、投票運動にはいわゆる事前運動の規制がないため（自治令一一六条の二・一〇九条、公選一二九条を参照）、たとえば署名収集のための戸別訪問に際し、予想される解職投票での投票を依頼するのは公選法一三八条（戸別訪問の禁止）違反となり同二三九条の罰則の適用があるとされる（昭三二・一一・一八行政実例）など、思わぬ障害があるので注意を要する。それでも、解職投票の運動では、自動車・拡声器等の使用制限（公選一四一条以下）、文書図画に関する制限（同一四二条以下）などはないので、一般の公職選挙よりは自由が多い。

11　原子力発電所建設への賛否を住民投票で決めるわけにはいかないのか

問題の意味　原子力発電所（以下、原発という）が町や村で大問題になっているとき、それへの賛否を住民投票で決してはどうかという考え方がある。現実の政治過程の中では、原発の推進者側、行政、反対派のいずれからも住民投票案が出てくることがあるが、この投票の実施の是非ないし功罪は、少なくとも、原発建設事業の性格や法制度的仕組み自体の検討と住民投票一般の総合的理解に基づいて答えられるべきであろう。

原発建設の仕組みと住民参加　現在の原発設置システムを地方自治体、その機関および地域住民の関与という観点からみると次のようである。原発は、原子力施設としての側面において核原料物質、核燃料物質及び原子炉の規制に関する法律（以下、原子炉等規制法という）の定める通産商業大臣の設置許可（二三条）、発電施設としての側面において電気事業法の通産商業大臣の電気工作物変更の許可を要する（八条）。①これらの許可以前に、原発は内閣総理大臣が電源開発調整審議会の議を経て定める電源開発基本計画に組み入れられることになっている（電源開発三条）。この基本計画決定の際には、都道府県知事の出席と意見具申の機会があり（同一一条。運用上、知事の「同意」を要するとされている）、公表された計画に対し、利害関係者や自治体の長は意見を申出ることができ、国の行政機関は必要な措置をとる義務がある（同三条、同施行令六条）。②法律外の制度として、安全規制行政の一環をなす二度の公開ヒアリングがある。まず環境調査と平行して行なわれる第一次公開ヒアリングは、右の基本計画案の決定前に通産省が行ない、第二次公開ヒアリングは原発設置許可などのさい通産省から提出される安全審査書案についてダブル・チェックを行なうにあたり、原子力安全委員会が施設固有の安全性の問題について開催する。この手続は最近になって整備されたものであるが、実体はセレモニーと化していることが多い。

代表制民主主義と住民投票　現在、わが国で制度化された住民投票には、憲法改正や地方自治特別法の国民・住民投票、最高裁判官の国民審査、地方レベルの直接請求の効果としての住民投票がある。これらの法的性質はさまざまであるが、住民投票という直接民主主義制度を代表制民主主義をとる現在のシステムの中でどう評価さるべきであろうか（☢13参照）。わが国の統治構造に即しての具体的検討を離れてみても、スイスやアメリカの歴史が教えるように、直接民主制が機能しにくい大規模政治社会では原則として代表民主制をとりながら、憲法改正や一定の事案に国民発案や国民投票で主権者の意思を補完的に直接反映してきた。理論的にも、相容れないと観念されてきた二つの民主主義論であるが、今日の研究成果では、抽象的な国民の総体に根拠をおく代表（議員）にのみ主権行使を認める一九世紀的な議会制民主主義（純粋代表制）が、なお不徹底ではあれ具体的存在たる国民の総体に主権行使を認め、直接民主主義的諸制度を許容する今日の憲法の代表制（半代表制）により克服されている。つまり、技術的意味で採用された代表制民主主義の機能と国民の具体的意思との乖離を補うための直接民主主義的制度の可能性は、憲法の国民主権原理が想定している。もっとも、為政者に個人的信任を与えるための住民投票（プレビシット制）は許されるものではない。問題は特定事項に関する住民投票の住民自治を強化する方向での是非ないしあり方にある。

原発と住民投票　(1)　近年では国のレベルで原発建設の是非を国民・住民投票で決める外国の例は多く、完成ずみの原発の運転開始が中止された例もある。一般に投票は憲法その他に法的根拠をもつから、投票結果は法的拘束力をもつ（オーストリア）。

(2)　わが国でこの問題を考える場合、①原発問題が住民投票になじむか否か、②投票が可能である場合の投票実施条件が問われる。今後の課題として、好ましい条件を考えてみよう。

①　原発建設は、地元優遇を標榜する種々の税財政措置、電力会社による巨額の補償、特別の電力料金計算システムなどの問題を内在するため、原発住民投票は地域政策選択手段としてよりも国の電力政策、ひいては経済構造への信任投票的性格をもっている。原発の安全性の有無自体は技術的性格のもので、本来的には専門的判断に依存すべきであるが、わが国ではこの専門的評価がしばしば政治的性格をおびるためかえって住民投票に親しむ要素がある。ちなみに、仮に将来国のレベルでの国民投票が原発推進政策を決定することがあっても、特定地域での設置受入れは別途に住民投票に親しむ事柄である。

②　原発建設に関する住民投票手続は現行法上存在しないため、投票は諮問的住民投票とならざるをえず、何らかの機関に対し事実上または政治上の影響をもちうるにすぎない。したが

って、賛否いずれかの請願署名と相対的な差異しかないともいえる。機能的には、この点を争点とする首長の選挙（例、昭和五三年の山口県豊北町町長選挙）や首長のリコール請求（例、昭和五六年の高知県窪川町）が同じ役割を果たす。とりわけ後者の場合、通常選挙には認められない無制限の宣伝カー、戸別訪問、投票当日の運動が可能で、草の根的な住民運動には有利な手段であろう。

住民投票にあたっては、民主性を最大限に確保する諸条件の整備が必要である。とりわけ投票の時期は、本来、発電所一般に通ずる電源開発基本計画決定前に自治体の首長や利害関係者が意見を具申するのに先立って、環境影響調査の結果をえたあとに定めるのがスジであろうが、かかる調査以前に用地買収や漁業補償など事実上の建設行為が開始される日本の実際にあっては、可及的に早い段階での投票がまずあってよい。原発の場合、公開ヒアリングが二回あることから示されるように、安全審査を経て原子炉設置許可がなされる前に、その時点までの資料に基づき、安全面からの住民投票によるダブル・チェックが考えられる。

その他の条件整備のために、福井県敦賀市の住民運動や窪川町の試みのごとく、住民投票条例の制定の方向もあろう。その中には、たとえば一戸一票制ではなく全有権者の投票権、漁村が多いことを考えての長期不在者への投票期間・方法の配慮、ことの重要性にてらして漁業権放棄の条件にならった（漁業三二条）三分の二の賛成での設置推進決定などを定めえよう。以上の条件のもとで、徹底した資料公開と住民の学習が不可欠であることはいうまでもない。

✤12　住民でなくとも、長の選挙に立候補できるのはなぜか

長の被選挙権

今日、わが国の自治体の首長選挙には、住民でなくても立候補でき、首長には、当選後も、当該自治体の住民となる義務はない。すなわち、地方議員の被選挙権の要件は、①当該普通地方公共団体の議会の議員の選挙権を有すること、②年齢満二五年以上であることの二つである（自治一九条一項、公選一〇条三号・五号）。①には引き続き三か月以上市町村の区域内に住所を有していることという要件が含まれている。長の被選挙権は、都道府県知事については日本国民で年齢満三〇年以上、市町村長については日本国民で年齢満二五年以上の者がこれをもつが、住民であることは要件ではない。

憲法とのかかわりをみると、憲法四四条が国会議員の選挙資格・被選挙資格の法律制定主義、その際の平等原則の遵守を立法者に義務づけているが、その他の公職についても同一のことが妥当しよう。その根拠は憲法一四条一項の「政治的」差別禁止や同一三条に求めてよい。最高裁は、「立候補の自由は、選挙権の自由な行使と表裏の関係にあり、自由かつ公正な選挙を維持するうえで、きわめて重要である。このような見地からいえば、憲法一五条一項は、被選挙権者、特にその立候補の自由について、直接には規定していないが、これもまた、同条同項の保障する重要な基本的人権の一つと解すべきである」としている（最大判昭四三・一二・四刑集二二

巻一三号一四〜二五頁)。このような解釈に立っても、公職の被選挙権に、一定の合理的かつ具体的な資格要件を法律によって定めることは許されるが、長の被選挙権は住民以外にも認められるのであるから、立候補資格の過重制限の問題はない。この住民以外の者に立候補を認める理由は、長の責務が専門的であることから広く人材を得るためであるとする点で異論はないが、住民自治の実質化という観点からは「人材を得る」ということの意味内容とこの制度の立法政策としての妥当性の吟味が一応は必要であろう。

戦前における人材確保の意味　戦前の府県知事は任命制の国の官吏であったから、住民である必要ではなかった。市町村長の選出方法は時期により若干の変遷があったが、①市長は有給職とされ、市会が選挙推薦した三人の市長候補者から内務大臣が選考し、上奏裁可を経て定められ、公民である必要はなかった。②町村長は町村会が選挙し、府県知事の認可を受けることとされ、名誉職を原則とし、条例をもって、有給職になりえた。その際、名誉職町村長のみ公民であることが求められた。当時、公民とは、原則として一定期間住民であって一定の国税を納める者をいったが、地方議員は名誉職＝無給職であったことも合わせ考えると、名誉職と公民資格が結合されていて、有給職については公民資格したがって住民であることも問われなかったのである。吏員も原則としてその市町村の公民である必要はなかった。

この仕組みにおいては、地主制の基調的な町村部では人件費の節約と人的つながりを利用しての地方支配に地元名士が起用されたこと、都市地域では専門職性を確保する観点から市域外にも人材を求めつつ、市会が推薦するという公民自治的要素を「裁可」権により国益確保の方向で抑制する可能性があったことが示される。つまり、戦前における有給首長の住民要件の欠如は、中央集権統治の実行性を保障するための「人材確保」手段であった。

人材確保の今日的評価　(1)　「広く人材を得る」というときの人材には、①法律・条例の規定内容または地方議会の議決内容を執行するという技術的・専門的側面と、②議会とは独自に地域住民の政治意思を体現するという側面との二つの意味がある。①の面を強調すると、現代行政の複雑・多様性に着目し、素人による行政運営の難しさを理由に、首長の行政専門家的資質に重点をおく見方があらわれる。事実、最近の地方制度調査会では、アメリカの中小規模の自治体などで多くみられる市支配人制（シティ・マネージャー制）の採用が検討されている。これは、立法機能は議会がもつが、行政執行機能は議会の最終的対外的責任のもとに議会の任命する行政専門家である支配人に委ねるというものである。支配人は住民にではなく議会に対して責任を負う。この制度は行政運営の効率化と公正化をもたらすといわれるが、アメリカでも、利害関係が複雑化している大規模都市の場合、首長の政治責任を要請する立場から、必ずしも適切な制度とは考えられない傾向にある。わが国での採用には、首長公選原則（憲九三条）との関係で困難な点があるが、第一七次地方制度調査会は、自治体の組織・運営の改善項目にこの問題を含める形で、今後の検討に委ねている。

(2)　しかし、首長の資質を行政的効率性の点からのみ判断することには問題がある。現代では地域行政の政治化が顕著となり、地方議会の執行部を統制する権能は過去に比べて絶対的に強化されたが、他方、現代行政の種々の特質からする議会の機能上の限界も露呈してきた。首長の広範な裁量権限の存在がこれであり、彼の権限行使に対する民主的統制および首長自身の民主的正当化が重要な課題となる。

現在のわが国の公選制はこの課題を憲法原理にまで高めて制度化したものである。いいかえれば、首長は、国家意思の執行者としての地位から住民意思の体現者へと地位を換えつつある。人材確保の意味も②に比重がおかれるに至った。つまり、地域住民の政治意思を適切に表わす人材を確保することに意味がある。そこで、「住民」自治をより実質化するため、住民であることを長の被選挙権の要件とする立法政策も考えられる。この要件は、首長と地域の結合度を高めることにあるが、この要件を満たしても実質的に住民ないし地域とのつながりの希薄な場合もありうる。反対に、現行制度では移入候補の発生が避けられないが、選挙民が政策と人物を検討して首長としての資質を判断することは可能である。首長候補者が住民であることが望ましく、かつ、その方向での発展が想定されるとしても、今の制度はより広く政治的資質と専門的能力を備えた適格者を得る可能性を与える制度と評価することもできよう。見方をかえれば、現行制度は、地域住民の代表機関である地方議員・議会が、理論上、本来的に住民との自同性を求めるのに対し、首長の場合、その機能上の地位が変遷しつつあるとはいえ、なおこのような関係には必ずしもないことを示している。

13　行政への住民参加は、現行制度上どの程度認められているか

住民参加とは　住民参加の概念は広狭さまざまに考えられる。広義では、議員や自治体の長の選挙を除く政治過程への参加をも含めることができる。現行法の規定には、国・自治体の立法機関の作用への参加（例、地方自治特別法の住民投票（憲九五条）、条例の制定改廃請求（自治一二条一項））のほか、地方自治体の政治・行政の運営上の具体的問題の発生をきっかけとする事務の監査請求（自治一二条二項・七五条）、地方議会の解散請求・主要役職員の解職請求（同一三条・七六条以下）などの直接請求の諸制度もある。さらに、国の諸機関を含めた諸機関に対する請願や陳情（憲一六条、請願法、国会七九条以下、自治一二四条・一二五条・一〇九条）、住民監査請求（自治二四二条）と住民訴訟（同二四二条の二）も住民参加的機能をもつ。

しかし、より大きな意味があるのは、狭義の住民参加で、これは、具体的な行政上の政策・計画などの決定過程への参加にみられるように、住民が国民主権・住民自治の主体として裁量的余地のある行政決定過程に一定の手続を経て関与し地方行政の民主的統制をはかることをいう。つまり、さまざまの行政的判断がありうるときに、住民意思を十分に反映し、最善の技術水準の判断を得るための仕組みである。この住民参加は、裁量を伴う行政がある以上、国・自治体の行政にともに必要であるが、技術的理由から広域的住民参加が難しいこともある。都市

計画の決定でも市町村の行なうものは自治事務で（別表第二一―二五の四）、知事の行なうものは国の機関委任事務とされているが（別表第三一―一六）、ともに公聴会が認められるのは、住民参加にふさわしいかどうかという地域性を考慮した技術的判断によるものである。

住民参加は代表制民主主義と予盾しないか

住民が直接に行政過程に参加することは、代表制民主主義を採用するわが国の統治システムにてらして、議会を無視ないし軽視するものとの批判がある。しかし、いわゆる政・財・官の癒着により官僚の起草した裁量事項を多く含む法案がしばしば無修正で国会を通過する国の場合に顕著にみられるように、法治主義が形骸化しつつあり、また現代社会における科学・技術の急激な変化に対応しえない議会の立法能力の限界があることから、住民参加は、議会の果たすべき法治主義を代わって担ったり、代表民主主義を補ったりし、あるいは、より本質的には、現代社会に不可避の地域的な行政の裁量権行使に民主的正当性を与えることにあって、代表制民主主義とは矛盾せず、国民主権や住民自治の観点から望ましいものなのである。

制度上の住民参加

(1) 狭義の住民参加を認める代表的法律として都市計画法がある。同法は、都市構造全体に影響を及ぼす基本的な都市計画の案を作成しようとする場合に、住民一般の意見を反映させるための公聴会を開くものとし、地区の環境の整備・保全を目的とする地区計画の案の作成には、当該区域内の土地所有者その他の利害関係者の意見を求めるものとしている（都計一六条）。つぎに、公告・縦覧の制度がある。都市計画を決定しようとするときは、決定権者はあらかじめその旨を公告し、当該計画案を公告の日から二週間公衆の縦覧に供しなければならない（同一七条一項）。関係市町村の住民および利害関係人は、右の縦覧期間満了の日までに、当該計画案について決定権者に意見書を提出することができる（同条二項）。

その他、公聴会や公告・縦覧の制度は、土地区画整理法や都市再開発法などにも規定されている。たとえば、土地区画整理が都市計画事業として行なわれるときには、都計法と土地区画整理法の住民参加が連続してあることになる。なお、住居表示に関する法律が、いわゆる町名変更に際し、変更案に対して五〇人以上の連署による変更請求を認め、この請求があった場合には変更案の議決前に、公聴会を開いて対象区域内の住民の意見を聞くよう義務づけている（住居表示五条の二第二項・六項）のは新しい傾向である。こうした手法から進んで、利害関係者の同意を要求する制度や利害関係者のみを対象とする聴聞の制度（例、都計一七条三項、建基四八条九項）は、住民参加というよりも適正手続の保障の観点からの権利保護的要素を多分に含んでいる。

(2)　法律によらない国の行政上の制度として、例えば、通産省の省議決定「原子力発電所の立地に係る公開ヒアリングの実施について」（昭和五四年一月二二日）に基づいて、地元住民の意見を聞き、原子力発電に対する理解と協力を得る目的で行なわれる公開ヒアリングがある。

(3)　法律の定めるもの以外で、自治体が模索しながら進めている多くの参加形式がある。機能的に分類してみると、①対面接触などを中心として個別的な住民意思を行政に吸収する役割を果たすものに、市長と語る日の設定や市民相談室の設置・開催・市民アンケートの実施など、

②市民討議の場の設定として、区民集会、市民会議、市民委員会など、③より具体的に計画・まちづくりへの参加として、緑化市民会議、市民シンポジウムなど、④財政への参加として、地域予算会議や市債購入運動、⑤施設づくり、管理運営への参加などがある。

住民参加の課題　住民参加の必要性が大きいにもかかわらず、参加の認められている行政領域は少なく、制度化されている場合でも、区画整理・都市再開発に借家人の参加が法定されていなかったり、参加によって表明された住民意思の処理が行政の自由な判断に任されており（わずかな例外として、都計一八条二項を参照）、全体として参加の仕組みの充実が求められているが、その際、次のような点が注意されなければならない。

第一に、形式的な参加が、行政活動を追認する儀式にならないよう真の民主的参加を支える草の根からの住民運動が必要なことである。

第二に、住民参加の実質化のためには、行政情報の公開が不可欠である。さらに、原子力発電所の建設問題のごとく、地域住民の手におえぬ技術問題もあり、このため、専門知識を有する者の代理制度や、本来の専門家である行政職員の役割も重視されねばならない。

第三に、行政領域ごとに適切な住民参加が工夫されなければならない。全国的ないし広域的な計画について、民主的に構成された審議会の関与を求めたり、地域的行政であっても、なかには行政委員会（例、教育委員会、公安委員会）の構成の民主性を確保すると同時に、個別具体的な住民参加のあり方が検討さるべきものもあろう。

14 外国人は住民か。日本人との扱いの異同を説明せよ

住民自治とは

地方自治法一〇条は一項で市町村の区域内に住所を有する者を市町村・都道府県の住民とし、二項で住民に自治体のサービスの平等受給権と負担の平等分任義務を定めている。この「住民」には、法人および日本国籍をもたないという意味での外国人も含まれるというのが一致した解釈である。ところがこのような「住民」概念は、地方自治の本質的要素としてあげられる住民自治にいう「住民」と同義で、法人はともかく外国人も自治の政治的意味での主体になっているのであろうか。さらに、この点を別にしても自治体のサービスを平等に受けうる法的仕組みになっているのだろうか。

戦前の日本やドイツでは、一定の年齢に達した男子で一定期間自治体の住民でかつ負担を分任し一定の税金を納める者＝「公民」にのみ政治参加の権利・義務を与えた。これが団体自治と対概念をなす公民自治（bürgerliche Selbstverwaltung）であるが、日本ではどういうわけか住民自治と訳されてきた。このため戦前はもとより今日でも住民全体による自治が存在するかの感を与えるが、現行法は日本国民たる住民にのみ選挙権や直接請求の諸権利を与える（自治一一一一三条）から、制度上はなおも公民自治が原則だといえよう（例外は住民監査請求と住民訴訟）。

14　外国人は住民か。日本人との扱いの異同を説明せよ

外国人の意味

観光目的で旅券をもって一時的に来日する外国人について住民の権利・義務を概括的に論ずる実益は少ない。しかし、わが国には戦前の植民地政策に基づく強制連行などにより来日した人およびその子孫が六〇万人以上住んでいる。その大多数が在日朝鮮人（韓国籍・朝鮮籍を総称）で、帝国主義政策への反省もないまま本人の意思と無関係に日本国籍を剝奪された人など、きわめて複雑かつ不安定な法的地位にある。したがって、外国人の住民としての地位を考える際にも、自由意思で入国した一時滞在者とは異なる配慮が必要である。

外国人の人権保障

住民である以上、「法律の定めるところにより」自治体の役務＝サービス（たとえば公の施設、社会保障、資金貸付、行政上の指導・助言、共済事業）を平等に受けることができる。これを具体的に確認する規定もある（自治二四四条、水道一五条。さらに自治体以外の者が供給する事業について、例、電気一八条、ガス一六条）。このサービスは自治体の処理する事務の全般をいうものとされているが、現実には、法律その他の国の措置が平等原則の例外を定めていることがあるから、自治体によるこの例外の実質的な否定措置の可能性を含めて、具体的な検討が必要である。

従来から外国人は参政権や社会権などを除いて基本的人権を享受するという傾向が強い。最高裁も憲法上の人権保障は、権利の性質上日本国民のみを対象としていると解されるものを除き、在日外国人にも等しく及び、政治活動の自由についてもわが国の政治的意思決定またはそ

の実施に影響を及ぼす活動など以外にはその保障が及ぶとする（マクリーン判決、最大判昭五三・一〇・四民集三二巻七号一二二三頁）。もっとも、この判決は政治活動の事実を在留期間更新の不許可事由になりうるとしたから、外国人の政治活動には国外退去の覚悟が必要ということになる。

国籍と社会保障　一方の社会保障はどうか。この点は「難民の地位に関する条約等への加入に伴う出入国管理令その他関係法律の整備に関する法律」（昭五六法八六号）とこれに関連する行政措置により若干の改正があった。これにより児童手当、児童扶養手当、特別児童扶養手当の各支給の国籍要件が削除された（児手四条、児扶手四条、特児扶手三条を参照）。国民年金の被保険者資格の国籍要件も同様の扱いとなったが（年金七条）、経過措置を伴わない点など不備が指摘されている。「本来、国の責務に属する行政事務」（最判昭四九・五・三〇民集二八巻四号五九四頁）である国民健康保険には、被保険者資格の国籍要件はなかったが、厚生省令で、主として(a)一九六五年のいわゆる在日韓国人の法的地位協定に基づく永住許可を受けた者、(b)「条例で定める国の国籍を有する者」以外の外国人の国保加入を排除していた。このたび難民条約法の制定に伴い省令改正が行なわれ（昭五六・一一・二五厚生省令六六）、難民の国保適用は認められることになったが、一般外国人について規定の変更はなかった。人間としての最低限度の生活を保障する生活保護受給権の国民条項（生活保護一条）は改正されず、治安上、人道上の理由からする外国人への「準用」が恩恵的に行なわれている。外国人が戦争犠牲者として障害年金を受給できない（戦傷病者戦没者遺族等援護法一一条）ことも変わりない。なお、明文の規定がなくても、従来、国の日本住宅公団や住宅金融公庫は外国人の申請を受け付けず、そのため住宅金融公庫の融資とリンクされた自治体の住宅供給公社も、自治体としての事業であるにもかかわらず、外国人の利用をしめだしてきた（最近は運用が変わっている）。

結局、地方自治法一〇条二項の平等原則は、権利保障の側面で漸次実質化しつつあるとはいえ、負担の分任に力点をおくものといえなくはない。

住民自治の課題　外国人が児童手当等の受給権を従来もたなかったことの理由を、それらの福祉施策が給付と反対給付の仕組みをとらないことにみる見解がある。だが、国民自身が一般的な納税以外に反対給付を行なっているわけではないから、納税義務を有する外国人を差別的に取扱う根拠はない。まして、社会保険への加入の政策的・理論的可能性はいうまでもなかった。この間にあって、自治体が外国人に対し児童手当などを条例や要綱に基づいて支給し、あるいは公営住宅への入居を認めたことは、地方自治法一〇条や国際人権規約の趣旨に合致し、国の政策を先導する役割を果たすものであった。

公民の自治ではなく真の住民自治のためには、少なくとも日本の植民地政策の犠牲者である在日朝鮮人等に対する参政権が検討の課題となろう。この点で、一九七五年の選挙法改正で在住外国人に市町村選挙への参加権を認め多数の外国人議員が誕生したスウェーデンや外国人労働者に自治体選挙権を認めるべきだとの主張・運動がみられる西ドイツの動きなどが参考となろう。

15　住民訴訟は、どのような特徴をもった訴訟か

住民訴訟とは

住民には自らの属する自治体の違法な財務運営があるとき、直接具体的な法律上の利益の侵害がなくても訴訟を提起してこれを是正する権利がある。選挙人であればだれでも選挙の効力を争える選挙訴訟とともに民衆訴訟と呼ばれる(行訴五条)。自治体の長や行政委員会・その委員や職員による公金の支出、財産の管理・処分、契約の締結、税金の賦課・徴収――これを「財務会計上の行為」といっている――が違法または不当であると考えられるとき、まず監査委員に千字以内の請求要旨を記して、当該行為のあった日または終わった日から一年以内に、必要な措置をとるよう請求できる。この行為が秘密裏に行なわれて住民が知りえなかったような場合には「正当な理由」があり、一年を過ぎてからでもよい。法は監査請求を予め経るよう求めているが、監査委員は長の任命によることからも実効的対応を期待できないことが多く、出訴に及ぶことが多い。この訴訟は住民が一人でもなしうるし、事後的ではあるが公開の法廷で行政活動の適否が論じられるため、住民参加的機能をももつといわれることがある。

いろいろな請求ができる

訴訟には、①自治体による国・公社への任意自発的な寄附を禁じた地方財政再建促進特別措置法二四条二項に基づき自治体が行なおうとしている巨額の国

鉄新駅設置費用の支出を差止めるというような、回復困難な損害を避けるための差止請求、②違法な課税減免処分などの行政処分の取消請求または無効確認請求、③道路を第三者によって不法に占有されたままの状態に放置し、その占有回復のために何らの措置も講じられない場合や公金の賦課・徴収を怠っている場合の怠る事実の違法確認請求、④長・職員のほか、一般市民が自治体に不法行為を加え、あるいは彼らに法律・条例上の根拠なしに手当や補助金が支出されるときに自治体が取得するが行使しない請求権を住民が代わって行使する損害賠償請求や不当利得返還請求などがある(自治二四二条の二)。要するに公金のムダ使いの防止と損害の回復に主たるねらいがある。

汚職公務員に退職金を支払ったら

住民訴訟の対象は「財務会計上の行為」に限るというのがこれまでの考え方である。ところが、公金の支出を伴わない行政はほとんどありえないこともあって、公金支出が違法であるというとき、その違法原因がどこまで遡り、どの範囲まで及ぶかが問題になってきた。最高裁は、かつて、もしも警察法が自治権を侵害するなど違憲違法の法律であれば、警察費用の一切の支出が差止められるという可能性を示唆していた。その後、自治体が公共施設を設ける際に地鎮祭の費用として神官への謝礼や供物青果代金を支出したことが政教分離を定めた憲法二〇条および八九条前段に違反するかどうかが争われた事件で、神官や果物店との契約の効力には触れることなく、地鎮祭をとり行なった長の自治体に対する賠償責任を判断するに際して、「支出の原因となる行為」の違憲性には裁判所の審査が及ぶ、とした(最大判昭五二・七・一三民集三一巻四号五三三頁)。つまり、公行政として許されない行為に伴う公金の支出は、たとえ、事務手続上瑕疵がなくても違法と考えられている。

このような流れの中で、収賄罪で有罪判決をうけるに至った市の幹部職員に、市長が逮捕後ほどなく温情的な分限免職処分をして退職金を支払ったことが違法な公金の支出であるとして、市長の賠償責任の有無が問われた事件がある。懲戒免職処分であれば退職金はない。処分が違法であれば公金支出も違法となりそうであるが、行政行為(行政処分)には公定力があって、無効でない限り当該行政行為の効力には取消しが行なわれない以上、何人も拘束されるため、当該分限免職処分が無効であれば格別、さもなくば、住民も裁判所もこの処分を前提とせざるをえず、退職金の支出も違法にはならないという考え方もある。現代の行政は複雑さを増し、長い行政過程の一段階に行政行為が介在することが多いから、この点をどう考えるかは住民訴訟の有効性に大きな意味をもっている。先の退職金支出事件で、横浜地裁(昭五二・一二・一九判決)は、分限免職処分それ自体は財務会計上の行為ではないが実体上退職金支出の適否の前提問題をなしており、また、その処分は汚職職員に対するもので公定力は市長の損害賠償責任の判断にまでは及ばないと述べた。二審判決では逆に処分が無効の場合にのみ公金支出は違法になるとされたが、住民訴訟での公定力の問題は、個々のケースごとの具体的検討が必要で、本件の場合は、一審判決に説得力があるように思われる。事実、最近の住民訴訟判例から退職金関係のものをひろってみても、勧奨退職事由にあたらないのに割増退職金を支払ったとか、許可なく私立学校教員を兼ねていた公立学校教員を懲戒免職処分にしないで退職金を支払ったというケースで、裁判所は退職承認処分の公定力には拘泥せずに事案に即した判断を行なっている。

議会が請求権を放棄したり長が責任を免除したら

勤務する自治体に対する地方公務員の賠償責任については地方自治法二四三条の二に規定がある。現金をなくしたときは軽過失でも賠償しなければならないが、物品をなくしたり損傷したときや、対外的な契約などを違法に行なって自治体に故意または重大な過失により損害を与えたときは、賠償責任がある。この責任は、監査委員の決定を経て、長が命ずるが、長は議会の同意をえてその全部を免除することもできる。この仕組みのもとで、たとえば、違法行為をした職員の責任を長が不問に付したり、免除することが考えられるが、これは自治体の内部処理として一応の結論をつけるもので、客観的に存在する賠償責任を消滅させるものではない。判例にも、首長が右規定に従い収入役に対し亡失金の損害賠償を命じ、これが確定しても、この命令のみでは強制執行も強制徴収もできないから、住民訴訟は提起できるとしたものがある。なお、職員の財務的違法行為以外の不法行為(例、自己の管理・使用しない公有財産の損傷、支出負担行為権限の受任者の判断に違法な拘束を与える上司の行為)には民法の適用が予定されている(自治二四三条の二第九項)。この場合、行為者は故意・重過失あるときに限って責任を負うかどうか学説・判例とも一致していないが、故意・重過失に限定する趣旨が、日常的で件数の多い業務であることへの考慮や被用者の保護にあれば、右の点の解答は、かかる趣旨が妥当する事情にあるかどうかの判断にかかっていよう。

16　町内会は、行政と住民の間でどのような役割をはたしているか

町内会とは　ここで町内会とは、部落会・自治会などさまざまな名称をもつもので、市町村より狭い一定の地域内で、原則として全世帯が加入し、共同の事務の管理にあたる住民組織をいう。その成立時期は新旧さまざまであるが、いずれも地方自治法その他の法令に根拠をもたない。ところが、今日の町内会は、広報・親睦・防犯といった昔ながらの仕事に加えて、地域の日常生活にとって不可欠の事務の処理を総合的に行なう組織としての側面を強くするに至ったから、このところ地方自治とのかかわりで町内会の機能・あり方、法律上の問題がいっそう顕在化してきた。

町内会の歴史　明治時代以降の自治制度の中で、町内会は、市町村の規模が諸外国に比べて格段に大きいこともあって、一貫して集権的な統治体制の末端組織として機能してきた。明治二一年の市制町村制施行のさい七万余の市町村が一万五千余に合併され、今では全国の市町村数は三、二五五になっている（昭和五六年四月現在）。イギリス、ドイツ、フランスなどでは基礎的市町村にあたるものが一万ないし三万も存在する。そのため明治の町村制も合併前の旧町村を区とし、名誉職の区長などをおいて町村長の事務の補助執行をさせた（六四条）。この区は独自の事務内容をもつ法律上の自治単位ではなかったが、町内会は昭和期に入

り戦争遂行のための下部組織としての性格を強め、ついに昭和一五年の内務省訓令で組織化を強制され、住民自治とは無関係の組織となり、その後、大政翼賛会の下部組織としても位置づけられた。

このように町内会は軍国主義を底辺で支える組織であったから、戦後、憲法と地方自治法の施行の日（昭和二二年五月三日）に、占領軍は日本社会の近代化の一手段として町内会等の禁止令を発した（政令第一五号）。しかし、勤労奉仕や寄附などの税外負担や行事への参加の強制がもたらす非民主的側面はあっても、戦後の混乱期における町内会の事実上の行政的機能の遂行、また、昭和二〇年代後半以降の再度の市町村合併による行政区域の広域化に伴い、町内会は普遍化し無視できないものとなった。そして、いわゆる高度経済成長が生んだ過密・過疎の両地域とも伝統的な町内会の基盤が大きく揺らぎ、地域住民組織のあり方が前近代的な機能と現代的役割との間で問われている。

各種の文書の配布　町内会の仕事は、今日では、広報活動、レクリエーションから葬祭・病気等の際の互助活動、子ども・老人に対するサービスや保護、道路・ゴミ・下水などの整備・処理、防火・防災、さらには街づくりという遠大な活動にまで広く及ぶ。その役割は、法的には、例えば「公の施設」の委託をうけうる「公共的団体」（自治二四四条の二）にあたるにせよ、一般には、人権保障を充実し人権侵害を回避する方向で、かつ地域民主主義の確立をはかる観点から吟味される必要があろう。

(1)　まず伝達機能として各種文書の配布がある。このうち、①広報紙や各担当部課からの回覧文書は問題がないとしても、税金・国民健康保険料・国民年金保険料などの納付通知書は、公務員の守秘義務（地公三四条）や個人のプライヴァシー保護の観点から郵便による送達が望ましいし、選挙の入場券の交付も戸別訪問禁止の観点から（選挙運動としての是非の問題とは別個の事がらである）避けられるべきである。②町内会未加入者への配布措置が別途講じられなければならない。③配布の法形式として町内会の直接的利用を避けるため条例を設けて町内会長を特別職の地方公務員に命ずる場合や特段の法行為なくして事実上町内会を利用する場合がある。これらの場合の報酬や手数料の性質や支出形式について今後法的検討が必要となろう。

(2)　行政の依頼をうけて会長等が伝統的な地域権力構造を利用してのとりまとめ（説得）機能を果たすことがある。民主性の確保の要請からすれば、重要な政策決定は関係全住民の平等の参加をえてなされねばならない。

民生委員の推薦など

(1)　民生委員や国勢調査員などの推薦を会長等がすることがある（内申・推薦機能）。この際にも人選の客観化・明朗化のための手続が必要であろう。

(2)　税外負担を事実上担保する機能。農村部で町内会活動として行なわれる道路補修、河川改修などが、同一自治体内部で、街区住民との不平等、農業従事者と給与所得者間の不平等を二重にもたらすこともありうる。防犯灯の設置管理も自治体がその事務として行なうべきだろう。

(3)　親睦や互助活動のごとく、おおむね公行政の関与が避けられるべきものとは別に、学童保育、老人・障害者福祉、健康診断など地域社会のあり方や保険思想の変遷に伴って公的責任の領域に属す活動が過渡的に町内会の手で行なわれることもありえよう。私的自治の領域から公的責任の領域への媒介機能で、これは積極的に評価さるべき一面をもつ。

町内会の果たすべき役割

町内会の果たす役割とその評価は、これの将来像の理解と密接にかかわっている。戦後の大きな流れは、かつて個人の自立を抑圧した町内会を非民主的存在とし、これの担う公行政的機能を極力排除しようとするものであった。この考えは今もなお強い。ところが、現実における核家族化や地域社会の崩壊に直面して、あるいは社会的混乱を回避するための統合の道がさがされ、あるいは住民自治の観点から地域の共同の事務を総合的に処理する地域組織が注目されつつある。わが国の自治体の広域性を考えると、住民の共通の関心事に共同的に対処しうる町内会の役割への期待は大きい。処理可能な事は可能な限り身近な団体で扱うとの地方優先原則が全面的に妥当するものではないが、市町村と町内会との関係において、広域的といえる前者の町内会への関与は、後者の真の住民自治を豊かにする方向でのものでなければならない。このこととのかかわりで、町内会の公共性を注目したうえでこれの財産権主体性を確立する立場から求められる町内会の法制化（全国市議会議長会）や自治省を中心に進められているコミュニティづくりの動向にも注目する必要があろう。

＜参考文献＞

伊ケ崎暁生＝兼子仁＝神田修＝三上昭彦編著・教育委員の準公選（労働旬報社、昭五四）。

高木鉦作編・住民自治の権利〔改訂版〕（法律文化社、昭五六）。

高寄昇三・住民投票と市民参加（勁草書房、昭五五）。

浜川清「直接請求による条例制定」佐藤竺編著・条例の制定過程（条例研究叢書2）（学陽書房、昭五二）。

篠原巌「民主主義的変革と公法学――地方自治と住民参加――」法の科学6（日本評論社、昭五三）。

小高剛・住民参加手続の法理（有斐閣、昭五二）。

加藤一明編著・現代行政と市民参加（学陽書房、昭五三）。

在日朝鮮人の人権を守る会編・在日朝鮮人の基本的人権（二月社、昭五二）。

吉岡増雄編著・在日朝鮮人の生活と人権（社会評論社、昭五五）。

佐藤英善「住民訴訟の要件」ジュリスト増刊・行政法の争点（有斐閣、昭五五）。

別冊ジュリスト71・地方自治判例百選の「XI住民訴訟」の各解説。

3　地方自治（地方行政）の担当者

✣17　機関委任事務がふえ続けているのはなぜか

機関委任事務の仕組と役割　機関委任事務とは、通常、自治体の執行機関（長・委員会・委員）に委ねられた国の事務を指すが、以下では、そのうちの長に委ねられた機関委任事務を採りあげよう。

この機関委任事務の制度の特質は、一方におけるその管理執行への地方議会の関与の大幅な制限と、他方における主務大臣等の指揮監督権の存在であるといえる。前者の点についていえば、地方議会の条例制定権、監査請求権、調査権は及ばず（自治一四条一項・九六条・一〇〇条）、ただ説明請求・意見陳述等の権限を有するにとどまる（同九九条）。後者の点についていえば、自治体の長は、国の機関委任事務の管理執行については、主務大臣等の指揮監督をうけ（同一五〇条）、この管理執行が法令の規定に違反するものと認められるなどの一定の事情がある場合、主務大臣等は、いわゆる職務執行命令訴訟を提起することができ、この手続を経て、長に代っての代執行や長の罷免を行なうことができる（同一四六条。この他、同一五一条をも参照）。

機関委任事務についてのこのような仕組は、それが国の事務である、ということによって正当化されている。しかし、現在、機関委任事務とされているものの中には、たしかに、国の事務といえるものもあるが（外国人登録に関する事務や一般旅券に関する事務など）、他面、国の事務と解することには、異論の余地のあるものもある（児童福祉に関する事務や都市計画に関する事務など）。後者の如きものは、実質的な性格はともかく、法形式上国の事務として機関委任されているわけである。このような事務の中には、本来は自治体の自治事務といえるものがあろう。機関委任事務をこのように分けて考えることができるとすれば、この制度の役割も一律のものではないことになる。すなわち、この制度は、本来の国の事務については、何よりも、自治体レベルへの事務の委任の方式であり、そして、その管理執行の過程への特別の国の監督権を伴っているのである。これに対し、国の事務としての実質に乏しくまたは自治事務としての実質をもつ事務については、それだけ委任の意味はうすれ、国家監督の方式としての意味が強くなろう（委任の方式としての機関委任事務と、国家監督の方式としての機関委任事務）。

機関委任事務の性質と役割について右の如き区分が可能であるとすれば、さらに、機関委任事務が地方自治を侵害する、ということの意味にも二様のものがあることになる。すなわち、本来の国の事務が機関委任される場合、人的・財政的負担が主たる問題となるのに対し、本来の自治事務が機関委任事務とされる場合、むしろ、国家監督のあり方が問題となるであろう。

機関委任事務の廃止論と増加

機関委任事務制度は戦前の産物であり、第二次大戦後は、いくつかの公的見解においても、それを廃止または制限すべきことが指摘されてきた（地方行政調査委員会議の行政事務再配分に関する勧告（いわゆる神戸勧告、昭二五・一二）、第九次地方制度調査会の答申（昭三八・一二）、第一七次地方制度調査会の答申（昭五四・九））。

しかし、それにもかかわらず、機関委任事務は増加してきている。機関委任事務は地方自治法の別表第三および第四にリスト・アップされているが、それらが作られた昭和二七年から今日までの間に、知事および市町村長の管理しなければならない機関委任事務を定める法律の数は、それぞれ一二八から三二七、七四から一三九へとふえているのである（もっとも、これは法律の数であり、実際には、一つの法律について複数の権限が機関委任事務とされることが多い。たとえば、児童福祉法では二〇近い権限が知事の機関委任事務とされている〔別表第三一―五〇〕。したがって、厳密には、このような個々の権限の増減、さらには、それらの管理執行に要する時間や費用をもみる必要がある。ただ、法律の数のみを手がかりとしても、機関委任事務の増加の傾向は推測されよう）。また、戦後新しく形成・発展せしめられてきた社会福祉や公害対策の法分野においても、機関委任事務方式が用いられている（別表第三三―九の三ないし九の十二、四十二ないし四十五の二、五十ないし五十五の二。別表第四一―二ないし二の六、十八ないし十九の二、別表第四二―八ないし八の二、十八、十九、二十一の二ないし二十五など）。

機関委任事務の存在理由　右のように、機関委任事務の制度は維持され、さらに積極的に利用されている観すらあるが、その存在理由として、次のようなことが挙げられることがある。すなわち、①国がその事務を処理するために出先機関を設けることとの不経済、②自治体の機関による、地方の実情に即しての事務処理の必要性、③タテ割り行政でない総合的な事務処理の必要性、④全国的統一的な事務処理の必要性、⑤広域的な事務処理の必要性、である。①ないし③は、事務の自治体（の機関）による処理を根拠づけるものであり、④および⑤は、当該事務の国の事務としての性格づけおよび国の関与を根拠づけるものであろう。

しかし、これらの理由の合理性についてはなお検討を必要とする。①〜③が国の事務を地方レベルに委任するための理由でありうるとしても、このことは、この委任の方法として機関委任事務方式を採用することを当然に理由あるものにするわけではない。団体委任事務方式や委託方式もありうる。また、④および⑤が、国家関与の必要性を根拠づけるものであるとしても、機関委任事務方式がそのための唯一の方式ではない。法律で一定の水準を示すことや、不服申立の段階で主務大臣等が審査庁として関与することも考えられる。

このほか、第一七次地方制度調査会の答申（昭五四・九）は、「機関委任事務については、事務の性質からみて地方公共団体の事務とすることが適切なものは積極的に地方公共団体の事務とするとともに、議会の関与を強化するため必要な措置を講ずべきである」としつつ、「機関委任事務のあり方とも関連して、地方公共団体の行政執行における適法性の確保の方途については引き続き検討することが必要である」旨を指摘しており、今後、機関委任事務の根拠づけとして、地方行政の適法性の確保が挙げられることも予想される。これは国家監督の方式としての機関委任事務に関するものであろう。

❖18　議会が機関委任事務にかかる経費を削除した場合、長はいかなる措置をとれるか

機関委任事務と自治体の関係

機関委任事務とは、通常、自治体の長その他の執行機関に委ねられた国の事務を指す（以下では、長に委ねられた機関委任事務のみを採り上げる）。すなわち、それは、自治体の機関に委任されるものであり、この点で、自治体に委任される団体委任事務とは区別される。さらに、機関委任事務を委ねられた長は、国の機関としてこれを管理執行するのであり、この場合、長は、主務大臣等の指揮監督をうけ、他面、自治体の議会の条例制定権等による関与は大幅に制限される（自治一四八条一項・一五〇条・一四条一項）。すなわち、国の機関委任事務は、国の機関により、国の監督の下で管理執行されるというのが建前である。

しかし、機関委任事務を管理執行する長は、法形式的には、国の機関であるとしても、本来は自治体の機関である。また、機関委任事務は、自治体の機関に委任されているのであり、自治体に委任されているのではないといっても、実際には自治体の機構を通じて管理執行される。これら二点において、機関委任事務は自治体そのものと関係を有することになるが、さらに、この関係は自治体が管理執行に要する経費を支弁、さらには負担することによって、一層強められる。すなわち、自治体は、機関委任事務の管理執行に必要な経費を支弁するものとされ（同二三二条一項）、また、国はこの経費の財源につき必要な措置を講じなければならないとされ

ているものの(自治二三二条二項)、必ずしも国がこの経費をすべて負担しているわけではない。地方財政法上は、機関委任事務の管理執行に要する費用も原則は自治体の負担であり(地財九条)、多くの場合、自治体はその経費の一部または全部を負担するのである(同一〇条以下。ただし、そこでは、事務が機関委任事務に当るか否かは基準とされていない)。

予算議決権と拒否権　右のように、機関委任事務の管理執行は、その建前にもかかわらず、自治体とも関係を有し、これに対応して、議会に一定の権限が認められている。一つは、長に説明を求め、これに対し意見を述べる権限および関係行政庁に意見書を提出する権限である(自治九九条)。さらに、議会は、予算議決権(同九六条一項二号)を通じても、経費支弁の面から、機関委任事務の管理執行に関与する。すなわち、それに必要な経費は自治体が支弁(支出)するものとされているが(同二三二条一項)、一会計年度における収入および支出はすべて歳入歳出予算に編入しなければならず、そしてそれは予算の一部を成すがゆえに(同二一〇条・二一五条)、議会の予算議決権は、機関委任事務にかかる経費に及ぶのである(なお、自治体がこの経費を支弁するにとどまらず負担することが多いことは、この議会の権限をますます不可欠のものにしている)。

議会は、長によって提出される予算を削除(減額を含む。以下同じ)・増額いずれの方向にも修正できるが(同九七条二項。ただし、限界がある)、これによって生ずる長と議会の対立を調整するための制度の一つが長の拒否権の制度である。機関委任事務にかかる経費が議会で削除された場合についても、特別の取扱いは予定されておらず、この制度を用いることができる(ただし、義務づけられている場合もある―後述）。

拒否権は、次の場合に認められ、長は再議等を請求することができる。①長が条例の制定改廃または予算に関する議決に異議があるとき（自治一七六条一項）、②議会の議決または選挙がその権限をこえまたは法令等に違反すると長が認めるとき（同一七六条四項）、③議決が収入・支出に関し執行できないと認めるとき（同一七七条一項）、④議会が「法令により負担する経費、法律の規定に基き当該行政庁の職権により命ずる経費その他の普通地方公共団体の義務に属する経費」（いわゆる義務費）を削除する議決をしたとき（同一七七条二項一号）、および⑤議会が「非常の災害に因る応急若しくは復旧の施設のために必要な経費又は伝染病予防のために必要な経費」（いわゆる非常費）を削除する議決をしたとき（同一七七条二項二号）、である（なお、①の場合を除き、再議等を請求することが義務づけられている）。

機関委任事務にかかる経費の削除と拒否権

右の①～⑤の場合拒否権が認められるが、その行使があったのちの議決の取扱いや長のとりうる措置は各拒否権について異なっており、したがって、機関委任事務にかかる経費の削除が①～⑤のいずれにあたるかが検討されなければならない。そして、この点、結論的にいえば、④または⑤にあたることになると思われる。

まず、機関委任事務にかかる経費は④にいう義務費にあたるといってよい。もっとも、次の点には留意されるべきである。すなわち一つは、機関委任事務の概念が、その管理執行の義務づけのモメントを内包しているか否かが疑わしいことである。機関委任事務をリスト・アップしている地方自治法の別表第三および第四は、都道府県知事や市町村長などが「管理し、及び執行しなければならない事務」という表現を用いているが、管理執行の義務の存否は個々の法律または政令によって判断することが妥当であろう。他の一つは、機関委任事務の管理執行が長の義務であるとしても、そのための経費の負担が当然に自治体の義務となるわけではないことである。ただ、現行法上は、この経費の全部または一部が自治体の負担とされていることが多いのである（前述）。

つぎに、機関委任事務が「非常の災害に因る応急もしくは復旧の施設」または「伝染病予防」を内容または目的とし、その経費が非常費（前述）にあたることも考えられる。

さらに削除された経費が義務費と非常費のいずれにもあたることも考えられよう。

義務費が削除され、長が議決を再議に付した場合において、議会の議決がなお義務費を削除したときは、長はその経費およびこれに伴う収入を予算に計上してその経費を支出することができる（原案執行権。自治一七七条三項）。また、削除された経費が非常費にあたり、長が議決を再議に付した場合において、議会の議決がなお非常費を削除したときは、長はその議決を不信任の議決とみなすことができる（同一七七条四項）。義務費と非常費の双方にあたる経費が削除され、再度の議決においても同様である場合、長には右の二つの方法の選択が認められることになる（①〜②の拒否権行使後の取扱いについては、同一七六条二項・三項・五項・六項）。

☢19　条例で機関委任事務に関する情報の公開を定めることができるか

自治体における情報公開

周知の如く、情報公開の制度化に向けての動きが、自治体のレベルにおいて（も）活発になりつつある。現代における国や自治体の活動への国民・住民の依存性の高まりは、同時に、そこにおいて集積された情報の公開を要求することになっているのである。情報公開制は、国のレベルにおいても自治体のレベルにおいても、国民・住民が真に主権者となってゆくための一つの有効な制度であろう。

ただ、国の有する情報と自治体の有する情報との間には、程度はともかく、質的に異なる面がある。例えば、国の有する情報の中には、外交・軍事上の情報のように、公開しないことが比較的容易に正当化される情報が存在する。これに対し、自治体の情報は、住民の日常の生活にかかわるものが多く、国の場合のような問題は比較的には少ないといえるかもしれない。ただ、自治体において、情報公開を条例の形式で制度化しようとする場合、特有の問題がある。その一つが、機関委任事務に関する情報の取扱いである。

機関委任事務と条例制定権

機関委任事務として通常問題となるのは、自治体の執行機関に委任された国の事務である。そして、このような事務には、実質的にも国の事務と見ることができるものと、必ずしもそうは見ることができないものとがあるが、いずれにしても、この国の機関委任事務を管理執行する自治体の長は、国の行政機関として位置づけられ、主務大臣等の特別の指揮監督の下におかれるのであり（自治一五〇条・一五一条・一四六条）、そして、この事務の管理執行については、地方議会には、ごくわずかの権限が認められるにとどまり、条例制定権も認められていない（同一四条一項・九九条。以上の点については▲17参照）。

そこで、機関委任事務については条例の制定が認められないところから、それに関する情報の管理も国の事務であり、情報の公開に関する条例の制定も認められないことになるのか、という問題が生じてくるのである。この問題が大きな意味をもつ前提としては、自治体の執行機関が管理執行する事務の中では、機関委任事務の占める割合が相当に高いという事実がある。現在のおびただしい量の機関委任事務の存在が、右の問題に大きな意味を与えているのである。

なお、以下では、国の事務については条例制定が認められない、という原則との関連で、情報公開条例制定の許否が検討されるが、条例の制定については、さらに、それが国の法令に違反できない、という限界もある。ただ、情報公開に関する法律が存在しない現状では、この限界は大きな意味をもたない（目下問題とされているのは、守秘義務に関する法律の規定である）。そして、この状況の下では、機関委任事務に関する情報の管理が国の事務であるとしても、具体的な法令の規律を欠く事項についても主務大臣が指揮監督権を行使しうるか否か、という問題のあることにも注意しなければならない。

機関委任事務に関する情報公開の性質

国の事務たる機関委任事務については、それに関する情報の管理をも国の事務と解し、それについての自治体の条例制定権を認めない、という考え方がある。政府サイドでは少くとも従来はこのような考え方が採られていた。これは、機関委任事務の管理執行の中に、それに関係しまたはそこから派生した情報の管理をも含ませる考え方である。

これに対し、最近では機関委任事務に関する情報の管理を自治体の固有事務と解する考え方や、機関委任事務に関する情報の管理には、機関委任事務の管理執行に関する法のシステムは及ばない、という考え方が強くなりつつある。そして、これらの考え方の根拠づけとしては、情報の公開が国民の知る権利という高い価値からの要請であること、情報公開は新たな法の要請であり、機関委任事務の観念はこれを阻止できないこと、歴史的にみて、主務大臣等の指揮監督は情報の管理にまでも及んでこなかったこと、などが挙げられている。

この二つの考え方の対立をめぐっては、さしあたり次の二点が指摘されよう。

「機関委任事務に関する情報」

まず、「機関委任事務に関する情報」の範囲が明確にされる必要がある。というのはこの観念については次のような問題があるからである。

第一に、「機関委任事務に関する情報」であるのか否かの判断の容易でない場合がある。たとえば、大気汚染防止法では、都道府県や知事にいくつかの権限が与えられているが、そのうちでは、施設の設置等の届出の受理、施設の改善等の命令、大気の汚染状況の監視、立入検査

（をさせること）などが機関委任事務とされ（別表第三一―九の四）、他方、排出基準に関する都道府県条例の制定、総量規制基準の設定、指定ばい煙総量削減計画の策定、計画変更命令（大気汚染四条・五条の二・五条の三・九条）は、少なくとも明示的には機関委任事務とはされていない。ここでは、機関委任事務に関する情報は、然らざる情報からいかにして区別されるのであろうか。

一般的にいえば、機関委任事務とされているのは、行政過程全体の中の個々の権限であることが多く、このため、右のような問題が生じてくるのである。機関委任事務に関する情報の管理を国の事務というためには、まずそのような情報の範囲を画すること（判断基準の明確化）が試みられるべきであろう。

第二に、機関委任事務に関する情報の管理が国の事務であるとしても、時間的にみて、機関委任事務の管理執行後もいわば未来永劫に、それに関する情報の管理が国の事務であり、議会の関与は認められず、他面、主務大臣等の指揮監督の権限が存続する、とまで考えることは余りに不合理であろう。むしろ、一定の段階、たとえば当該機関委任事務に関する意思決定が行なわれたのちは、それに関する情報の管理には、機関委任事務に対する統制のシステムは及ばないとも考えられる。

20　公共団体の行政委員会には、どのような問題があるか

自治体における行政委員会制度　国や自治体は、その活動のために、内閣や自治体の長を頂点とするピラミッド型の行政組織を有するが、行政委員会とは、このような行政組織に組込まれない独立の、そして、合議制の行政機関である。第二次大戦後、アメリカの制度にならって、国および自治体において導入されたが、その後、廃止されるにいたったものもある。

現在、教育委員会、選挙管理委員会、人事委員会（または公平委員会）が、都道府県および市町村におかれなければならず、公安委員会、地方労働委員会、収用委員会などが都道府県におかれなければならず、また農業委員会などが市町村におかれなければならない（自治一八〇条の五第一項—三項）。なお、地方自治法は、しばしば、「委員会又は委員」という表現を用いているが、この委員会に当るものが右の各委員会であり、ここで問題とする行政委員会である。法律上、この委員会とまとめて扱われることの多い、委員に当るのは監査委員であるが、この制度は、合議制ではなく、行政委員会とは同質でない。

行政委員会制度が設けられる趣旨・目的は、それぞれの委員会により一様ではないが、次のようなことが考えられる。①合議制による決定自体に意味があるし、②その決定には、職業的公務員でない、利益代表や専門家等が関与する。そして、これらのことによって、③権利利益

の保護や利害の調整が図られ、④決定の技術性・専門性が確保され、あるいは、⑤党派的利害から距離をおいた決定の可能性が与えられる。

行政委員会の独立性

行政委員会は、一般行政機構から独立した行政機関として構想されるものであり、その職権行使も、他の機関の指揮監督には服さず、独立に行なわれることになる。この職権行使の独立性がなければ、合議制という行政委員会の特質もあまり意味のないものになろう。

自治体の行政委員会のうち収用委員会については、職権行使の独立性が法律で明確に定められているが（収用五一条二項）、このような規定がない行政委員会についても職権行使の独立性を認めることが、行政委員会を設けた趣旨にも合致すると考えられる。また、自治体の各執行機関が、事務を「自らの判断と責任において、誠実に管理し及び執行する義務を負う」旨の規定（自治一三八条の二）も、職権行使における各執行機関の間での独立性を要請している。他方、自治体の執行機関が「長の所轄の下に、執行機関相互の連絡を図り、すべて、一体として、行政機能を発揮するようにしなければならない」という規定（同一三八条の三第二項）は、長に、行政委員会などの他の執行機関に対する指揮監督の権限を与えるものではない。

しかし、行政委員会は、以下で述べるように、十分な独立性をもっているわけではない。

行政委員会の権限上の問題

行政委員会の権限については、さしあたり、次の三つの問題がある。

一つは、委員会は、一定の事務の管理執行の権限を有するものの、それにかかかわる予算の調整・執行、議会への議案の提出、地方税や分担金等の賦課徴収等についての権限を有しないことである（自治一八〇条の六）。これらの権限は、委員会の管理執行する事務に関するものであっても、長によって行使される（自治一四九条。ただし、教育行政二九条、地公八条一項三号を参照）。

第二に、委員会の権限行使に対し、長に、一定のいわば優越的に関与する権限が認められていることがある（自治二二一条一項、二三八条の二第一項・二項）。

第三に、委員会に国の事務が委任されていること、すなわち、そこにおける機関委任事務の存在が挙げられる（別表第三一─四、第四三─五）。その管理執行において、委員会が主務大臣等の指揮監督の下におかれることになるとすれば（自治一九二条、教育行政五五条）、それは、委員会制度の本来の趣旨からは当然に首肯されうることではない。

行政委員会の組織上の問題　委員会の独立性が十分なものであるためには、組織上は、委員の身分保障が図られている（地公九条五項─七項、収用五五条など）のみならず、委員会が独自の事務機構をもつことも要請される。

そして、このような事務機構が設けられる委員会もあるが（自治一九一条、地公一二条、収用五八条など）、公安委員会の場合、独自の事務機構は存在せず、その庶務は警視庁または道府県警察本部において処理されるし（警四四条）、教育委員会の場合、事務局はおかれるが、教育長の任命には国が関与する（教育行政一六条一項─三項・一八条）。また、一般に、事務機構の構成員については、長の部局への依存がみられるし（自治一八〇条の三）、さらに、長は、事務機構のあり方について関与の権限を有している（同一八〇条の四）。

第二に、委員会の委員は原則として非常勤であり（同一八〇条の五第五項）、このことは官僚主義的行政の弊を除くといった意味をもっているが、他面、委員が非常勤であることが、事務処理機構への委員会の依存を促す可能性もある。

このほか、長が委員会の委員や職員をして、補助執行させることができる制度（同一八〇条の二）が委員会の本来のあり方にマイナスに作用する可能性もあろう（☞22参照）。

21　収入役（出納長）と助役（副知事）とはどう違うか

副知事と助役、出納長と収入役

地方自治法上、都道府県には副知事、市町村には助役がそれぞれ一人おかれる（ただし、条例でこれをおかないことができ、また、定数を増加することもできる。自治一六一条）。また、都道府県には出納長、市町村には収入役がそれぞれ一人おかれる（同一六八条一項・二項）。出納長の定数は明示されていないが、一人と解されている。出納長および収入役は必置であるが、「町村は、条例で収入役を置かず町村長又は助役をしてその事務を兼掌させることができる。」（同一六八条二項但し書）。

副知事と助役は、都道府県または市町村におかれるというちがいがあるが、その職務・役割は共通している。また、出納長と収入役についても同様である（以下では、副知事と助役をあわせて助役といい、出納長と収入役とをあわせて収入役という）。

これに対し、助役と収入役とは、地方自治法上はいずれも補助機関とされているが、その役割は同じではない。以下では、この点を明らかにするとともに、地方自治法上の補助機関概念と講学上の補助機関概念の違いにもふれることにする。

補助機関としての助役

助役は、右のように長の補助機関であり、長の指揮監督をうけつつ（自治一五四条）、長を補佐する（同一六七条）。具体的には、長の意思決定に参画し、長の権限を専決・代決し、補助機関たる職員の事務を監督し、委任をうけて長の事務を処理し、長の職務を代理するといったことを行なう。この意味での補助機関とは、長の職務を補助する機関を意味し、しかも、長が具体的にいかなる権限を行使するのか、例えば、許認可や契約の締結などの対外的な権限を行使するのか、それとも、行政組織の設置改廃などに関する内部的な権限を行使するのか、という点は問われていないことに注意すべきである。長がいかなる活動にたずさわるのであれ、助役は補助機関である（なお、この意味での補助機関は他の職員をも含んでおり、助役は最も上位の補助機関である。また、この補助機関の概念は、長を中心にみたものであって、同じく執行機関たる委員会および委員については、職員、事務局という表現が用いられている。例えば、自治一九一条・二〇〇条参照）。

右の意味での補助機関の概念は、講学上の補助機関の概念とは同一ではない。すなわち、講学上は、個々の意思決定を自己の名において行ない、これを対外的に表示する権限を有する行政機関が行政庁であり、これを補助する機関の一つが補助機関である。行政庁および補助機関という属性の判断が、個々の権限に即して行なわれるところにこれらの概念の特徴がある。実際上は、たしかに、自治体では、長や委員会に行政庁の役割が与えられ、したがって、助役が補助機関と位置づけられることが多い。しかし、たとえば、建築基準法上の建築確認の権限は、長からみると下級の機関である建築主事に与えられていることがあり、この場合、この権限との関係では、建築主事が行政庁であり、長は行政庁ではなく、したがって、助役は補助機関ではない。

この行政庁――補助機関という考え方は、個々の権限についての、作用法レベルのものといえるが、先に述べた地方自治法上の補助機関の概念は、長がその時々に行使する権限の如何を問わないものであり、組織法上のものである、ともいえる。

補助機関としての収入役とその独立性

つぎに、収入役も、地方自治法上、補助機関として位置づけられ、長の指揮監督をうけ（自治一五四条）、そして、現金・有価証券・物品の出納保管、小切手の振出し、決算の調製と長への提出などの会計事務をつかさどる（同一七〇条一項・二項）。すなわち、収入役は、自治体の会計事務の適正な管理執行を図るために設けられた機関であり、この役割の点では助役とは異なるが、長の補助機関としてその指揮監督をうける点では助役と異ならないとも考えられる。

しかし、もう少し仔細にみると、収入役は、以下のような点において、助役に比べて相対的に高い独立性を有していることが看取される。

① 収入役については、地方自治法一六八条七項で、同法一六三条但し書の準用が行なわれないことによって、長による任期中の解職は認められていない。

② 助役には副助役といった制度はないが（これは助役がまさに長の補助機関であることによるのであろう）、これに対し、収入役の下には副収入役がおかれ、収入役に事故あるときなどの措置が定められ（自治一六八条三項ないし五項、一七〇条三項ないし六項）、さらに、独自の事務機構が設けられる（同一七一条）。

③　支出については、収入役は、長の命令がなければ支出することはできないが、しかし、この命令をうけた場合においても、当該支出負担行為が法令または予算に違反していないことおよび債務が確定していることを確認したうえでなければ、支出をすることはできない（自治二三二条の四・一七〇条二項六号）。長の支出命令と収入役の判断権の関係をどのように理解するかという問題は残るが、いずれにしても収入役は、支出の適法性等について独自の判断権を有するのである。

④　さらに、収入役は、その権限に属する事務の執行、例えば小切手の振出し（同一七〇条二項二号）については、自治体を代表する権限を有するものと解されている。

このように、収入役には、長との関係においても一定の独立性を与えられている。したがって、収入役が、助役と同様に、長の補助機関として、その指揮監督の下におかれているとしても、このことが収入役に対してもつ意味は、助役の場合と同じではない。換言すれば、長の指揮監督権は、収入役に対する場合と助役に対する場合とでは、必ずしも同じではないわけである。

なお、収入役は、長に対し一定の独立性を有するが、長は、収入役に対し前述の如く指揮監督権を有し、また、その補助機構のあり方に関与する権限をも有するのであって（同一六八条五項、一七〇条三項ないし五項、一七一条二項・四項・六項）、収入役の独立性は行政委員会のそれとは異なる。

☢22　公共団体の行政組織はどうなっているか

自治体の執行機関　自治体の行政活動は、国の法令や当該自治体の条例などの下で、自治体の長や教育委員会などによって行なわれる（もっとも、自治体では、議会が個々の行政活動にタッチすることがあるし、また、長や委員会も、規則制定権という法定立権限を有する）。

まず、自治体の行政組織の一つの特徴は、長の他、委員会や委員も執行機関とされ（自治一三八条の四第一項）、これら複数の執行機関によって自治体の行政活動が遂行されていることである（執行機関の多元主義）。そして、第二には、このうちの長の選任については公選制が採られていることである（同一七条）。

これら二点のうち、第一点は憲法上の要請ではないが、第二点は憲法上の要請である（憲九三条二項）。なお、この憲法の規定では、「法律の定めるその他の吏員」の公選にもふれられており、かつては、教育委員会の委員が公選とされていたが、昭和三一年、この制度は廃止された。しかし、最近、あらためて、公選をめぐり問題が提起されている（☢9参照）。

長の下の行政組織　自治体の多元的な執行機関のうち、長の下の行政組織は、次のようになっている（なお、委員会・委員については、☢20参照）。

まず、自治体には、長の最高の補佐機関として、都道府県には副知事、市町村には助役がおかれ（自治一六一条一項・二項）、そして、その下に、さらに、「吏員その他の職員」がおかれる（同一七二条一項）。この職員は長の下の各部局の構成員となり、副知事・助役とともに、長の補助機関として、長の指揮監督に服する（同一五四条）。長の指揮監督をうける行政組織の法的取扱いは、都道府県と市町村とでは異なっている。

都道府県の知事の下の組織については、地方自治法が、人口数に応じて、四ないし一〇の部（都の場合は局）を条例でおくものとし、「その局部の名称及びその分掌する事務を例示すると、概ね次の通りである」としつつ、かなり詳細な規定をおいている（同一五八条一項）。人口二五〇万以上の府県についていうと、総務部、民生部、衛生部、商工部、農林部、労働部、土木部および建築部の八部が例示されている。そして、知事が右の局部の数をこえて局部をおこうとするときは、予め自治大臣と協議しなければならない（同一五八条三項）。多くの都道府県で、地域開発に対処するために設けられた企画部の如きものは、この協議の産物である。

以上のような都道府県の知事の下の組織についての地方自治法の規律は、局部の数を制限するとともに、その内訳をも例示しており、公害対策などの新しい行政需要に対処するための機構の形成を制約するものであるため、自治体の組織権を重視する立場からの批判がある。

つぎに、知事は、この局部の下に必要な分課を設けることができ（同一五八条六項）、また、条例で、支庁および地方事務所を設けることができる（同一五五条一項）。

市町村長の下の行政機関については、法律上、都道府県の場合のような規律はなく、ただ、部課を設けるについては条例によるものとされている（同一五八条七項）。また、長は、条例で、支所や出張所を設けることもできる（同一五五条一項）。

さらに、自治体は、長の補助機関として、専門委員をおくこともできるし（同一七四条）、また、執行機関の附属機関として、各種の審査会、審議会、調査会等をおくこともできる（同一三八条の四第三項・二〇二条の三、別表第七）。

以上のほか、長の下の行政組織としては、都道府県の出納長、市町村の収入役およびその下の会計職員によって形成されるものがある（同一六八条一項・二項、一七一条一項）。これらの職員は、長の補助機関であり、長の指揮監督権に服することになるが（同一五四条）、会計事務をつかさどるというその役割にてらし、一定の独立性が認められる（▲21参照）。

委任および補助執行　長の権限に属する事務の管理執行は、もともと、長および右に述べられたその指揮監督の下にある補助機関によって行なわれるし、長に事故あるときなどにおいても、補助機関たる職員をして代理せしめ、またはそれに委任をすることになる（自治一五二条・一五三条一項、二項）。これが事務の管理執行の本来の仕組みであろうが、しかし、さらに、次のような仕組みも認められている。

(1)　知事は、その権限に属する事務の一部を市町村長に委任することができる（同一五三条二項）。

(2)　知事は、その権限に属する事務の一部を、市町村の職員に補助執行させることができる

(自治一五三条三項)。

(3)　自治体の長は、その権限に属する事務の一部を委員会・委員等に委任し、その事務を補助する職員等をして補助執行させることができる(同一八〇条の二。なお、これとは逆に、委員会や委員が、その権限に属する事務の一部を、長の補助機関たる職員等に委任し、また、それらをして補助執行させることができる——同一八〇条の七)。

このような委任や補助執行の制度は、長の権限に属する事務を、他の行政主体組織や、本来は長からは独立である他の執行機関、またはその補助機関をして行なわしめるものである。たしかに、このことは自治体の行政組織の簡素化に資する面もあろう。しかし、このような制度によっては、市町村や委員会・委員の独立性が影響をうけることも考えられるのであり、さしあたり以下のことが指摘される。

第一は、(1)および(2)の場合について、協議の手続が明定されていないことである(3)の場合には協議の手続が定められている)。

第二に、委任や補助執行が行なわれた場合の監督関係についての問題がある。委任については、委任に関する一般原則があるが、(1)の、知事の権限に属する事務の市町村長への委任の場合、その事務が国の機関委任事務であれば、機関委任事務に関する監督のシステム(同一五〇条・一四六条・一五一条)が働くことになるし、また、補助執行の場合、長には指揮監督権があると解されているのである。

23　国会と比べ、地方議会の権限の特色はどこにあるか

国会と地方議会　国会と地方議会とは、国民または住民から選挙された議員から構成され、また、立法権を有するなど、近代的議会制度としての共通性を有する。

しかし、国のレベルでは議院内閣制が採られているのに対し、自治体においては、長もまた住民によって選挙されるいわゆる首長制（〔大〕統領制）が採用されているし、また、憲法上は、国会は国権の最高機関であり、国の唯一の立法機関であるのに対し（憲四一条）、地方議会は議事機関という性格を与えられており（同九三条一項）、そして、地方議会と長とは対等であると解されている。さらに、国会については二院制が憲法上の要請であるが（同四二条）、地方議会は二院制ではない。

このように、国会と地方議会との間には、その基本的な性格または位置づけにおいても、機構の面においても、異なる点が存在する。また、地方議会については、住民による統制の手段として、直接請求が認められているが（自治七四条以下・七六条以下）、国会についてはこれに対応する制度は存在しない。さらに、議員の懲罰のような内部的自律の権限も比較の対象でありうるが、以下では、紙幅の都合上、国会および地方議会が、行政部および国民・住民との関係において有する権限とくに議決権に焦点をあてることにしよう。

立法権および予算議決権　まず、国会は、国の唯一の立法機関として（憲四一条）、法律を制定することによって、立法権を行使する。立法権は、国のレベルでは、国会に集中され（他の機関にそれを委任することはできる）、また、自治体に関する事項にも及ぶ（憲九二条・九五条を参照）。

これに対し、地方議会も、条例の形式において、憲法で保障された立法権（自主立法権）を行使するが、対象事項が自治体の事務に限られるのみならず、法令に違反しない限りという限界がある（憲九四条、自治一四条一項）。また、自主立法権は、執行機関たる長や委員会によっても行使されうる（自治一五条一項・一三八条の四第二項）。

つぎに、予算議決権は、これを立法権と解するか否かを問わず、近代的議会に認められる権限である。わが国でも、国では、内閣が予算を作成し、国会がこれを議決する（憲七三条五号・八六条）。また、自治体では、長が予算を調製し、議会がこれを議決する（自治九六条一項二号・一四九条二号・二一一条一項。なお、国会および地方議会の決算認定権につき、憲九〇条、自治九六条一項三号・一四九条四号・二三三条三項）。

ただ、内閣が提出した予算の国会による修正については、憲法および法律には限界は明示されておらず、学説上も、予算は国会の全面的な審理の対象になると考えられているのに対し、自治体では、「議会は、予算について、増額して議決することを妨げ」られないものの、「長の予算の提出の権限を侵すことはできない」（自治九七条二項）という限界が設けられており、国会とは異なっている。

その他の議決権　国会および地方議会は、立法権および予算議決権のほか、同意・承認等の権限を含め、さまざまな議決の権限を有しているが、両者のこの議決の権限の間には一定の差異がみられる。

まず、国会の権限（議院の権限とされているものもあるが、以下ではとくに区別しない）には、次のようなものがある。第一には、各種の行政機関の構成員の人事に関与する権限である（国公五条、会検四条、公選五条の二、警七条一項、公労二〇条二項、公害調委七条一項、運輸省設置法九条一項、臨時行政調査会設置法五条一項など）。第二に、国会は、国の財政について個別的な議決権を認められていることがあり（財三条・四条・七条）、また、特殊（行政）法人の予算を承認する権限をも有する（放送三七条、国鉄三九条の九、電電四七条）。そして、第三に、右の如き人事または財政に関わらない、個々の行政活動について、国会に関与の権限が認められていることがある（自治一五六条、警七四条、自衛七六条・七八条）。ただ、この第三の行政活動については、国会に個別的権限が認められることは少なく、特別に重要なものに限られているということができる。

これに対し、地方議会も、行政機関の構成員の人事に関与する権限（自治一六二条・一六八条七項・一九六条一項、警四一条二項、地公企九条）、財政統制権（自治九六条一項四号（ただし、自治二二三条および二三八条一項参照）、地公企二四条二項・三二条二項）、およびその他の行政統制権（自治九六条一項五号以下・二五二条の二第三項・二五二条の七第三項・二五二条の一四第三項、道七条二項・八条二項）を認められている。

以上のことを手がかりとすれば、第三のタイプの権限が国会の場合よりも広く認められていることが地方議会の権限面での一つの特色といえるのではないかと思われる。なお、地方議会には、第三のタイプの権限として、計画作成への関与が認められていること（自治二条五項、国土利用七条二項・八条三項）も、国会との対比において、注目される。また、法拘束的なものではないが、長が不服申立に対して判断を下す場合に議会に諮問し、そして地方議会がこれに対して意見を述べることも認められているが（自治二〇六条四項・五項、二二九条四項・五項など）、この地方議会の、準司法手続への関与の権限も、地方議会の権限を特徴づけるものといえよう。

拒否権・専決処分と不信任議決権

地方議会の議決権に関連して、地方議会に特徴的なこととして、長が、議会の議決に対し拒否権を有し、また、議決事項について専決処分権を認められることがある（自治一七六条・一七七条・一七九条・一八〇条）。これは、首長制の下での議会と長の関係の調整の装置として理解されるが、さらに、両者の間において、もともとは議院内閣制の下で採られる不信任議決権と解散権の対抗のシステムが採られており（同一七八条）、この点では、地方議会と国会（衆議院）は異ならない（憲六九条参照）。

24　地方議会の調査権の行使は、どこまで許されるか

調査権

自治体の議会は、当該自治体の事務に関する調査を行ない、選挙人その他の関係人の出頭・証言・記録の提出を請求することができる（自治一〇〇条一項）。この地方議会の調査権は、国会の両議院の国政調査権（憲六二条）に対応するものであり、議会の条例制定権等の他の権限の適切・有効な行使に資するものである。それは、個々の議員の権限ではなく、議会の権限であるが、常任委員会や特別委員会に委任して行使することができる。議会は、前述のように、調査権の行使として、出頭・証言・記録の提出を請求できるが、出頭または記録提出の請求をうけた選挙人その他の関係人が、正当の理由がないのに、出頭や記録の提出をせずまたは証言を拒んだときは、処罰をうける（自治一〇〇条三項）。

このように、議会の調査権は、罰則によってその実効性を担保されるものであり、それだけに、その限界がどこにあるかという問題も大きな意味をもっているわけである。

調査の人的および事項的範囲

まず、調査の相手方は、「選挙人その他の関係人」であり（自治一〇〇条一項）、「関係人」には、調査事項に関係を有するすべての者が含まれる。公務員に関する特則（後述）があることからもうかがわれるように、調査権は、国や公共団体の構成員にまで及ぶ。人的範囲の面では、調査権は限界づけられないといえる。

つぎに、調査は、事項的には、当該自治体の（自治）事務について認められる（自治一〇〇条一項。自治事務につき、▲3参照）。長によって管理執行されている事務のほか、委員会や委員によって管理執行されている事務もこれに含まれる。議会内の事項についての調査も当然には排除されない。さらに、調査権は、自治事務に関連する限り、自治体の外部の企業等についても認められる。

これに対し、機関委任事務は、自治体の事務ではないので、それに関連する調査は認められないことになる。しかし、自治体がその管理執行のための経費を負担しているような場合には、その限りで、調査が認められる。また、機関委任事務の管理執行から生じた損害について自治体が賠償する場合や国の事務について条例の制定が委任されている場合には、議会の議決が必要であり（自治九六条一項一号、一二号）、調査権の行使が認められる。

以上は、調査権のいわば間口に関わるが、つぎに、調査権の「奥行」を示すこととして、当該自治体の事務の執行に関する調査（いわゆる事務調査）のほか、将来議題となるべき事項の調査（いわゆる議案調査）や世論の焦点となっている事項の調査（いわゆる政治調査）も認められるとされている。調査権は、現に処理されている事務に限定されないわけである。

目的および必要性による限界づけ

以上のように、議会の調査権は広範囲にわたりうるが、他面、次のような限界が考えられる。

まず、目的による拘束の法理が調査権の行使についても妥当する。すなわち、行政権の行使と同様、調査権は、それが認められた趣旨または目的に反するものであってはならず、正当な目的のために行使されなければならない。たとえば、特定の者の名誉・信用を失わしめ、あるいは、自治体の職員組合の活動を抑えんがための調査は、その目的において、すでに違法であろう。なお、この限界との関係では、議会が調査を行なうにあたっては、予め当該調査の目的を明らかにしておくことが手続上望ましいといえる。

第二に、調査権は、その権力的性格にてらしても、必要な限りにおいて、したがってまた、他に適切な手段がない場合にのみ、行使されうる（比例原則）。たとえば、自治体の補助金の交付をうけている団体に対し、その補助金が適正に交付されているか否かについて、議会が調査を行なうことは一応可能であるが、その場合の調査は、右の目的のために必要な限度にとどまるべきである。さらに、議会が長などに対し報告等を請求することができる場合（自治九八条）、議会はまずこの措置をとるべきではないかとも思われる。すなわち、一般的にいえば、議会の検査権（同九八条）および執行機関による調査・情報収集と議会の調査権との関係、換言すれば、自治体の調査機能の中での議会の調査権の位置づけの問題が存在するわけである。

正当の理由がある場合などの調査の拒否　右の限界をこえる調査は違法であるが、さらに、次の場合、相手方は調査を拒むことができる。

まず、選挙人その他の関係人が、正当の理由がないのに調査を拒んだときは、処罰されるから（自治一〇〇条三項）、逆に、正当の理由があれば、調査を拒否できることになる。この正当の理由の内容は、なお不確定であるが、個人のプライヴァシーの保護や自己に不利益な供述を強要されないという憲法原則（憲三八条一項）との関連において、理解される必要がある。

具体的には、第一は、自己または自己の親族関係者等の刑事上の訴追または処罰をまねくおそれのある事項および医師・弁護士等の職の者が職務上知り得た事実で黙秘すべきもの等について、証言を拒むことができる（自治一〇〇条二項、民訴二八〇条・二八一条一項二号・三号）。

第二に、議会は、選挙人その他の関係人が公務員たる地位において知り得た事実については、その者から職務上の秘密に属するものである旨の申立を受けたときは、当該官公署の承認がなければ、当該事実に関する証言または記録の提出を請求することができない（自治一〇〇条四項）。しかし、当該官公署は、右の承認を拒むときは、その理由を疎明しなければならず、これに対し議会は、右の疎明を理由がないと認めるときは、当該官公署に対して、当該証言または記録の提出が公の利益を害する旨の声明を要求することができる。そして、当該官公署がこの要求をうけた日から二〇日以内に声明をしないときは、選挙人その他の関係人は、証言または記録の提出をしなければならない（同一〇〇条四項ないし六項）。ここでは、「職務上の秘密」や「公の利益」を厳格に解することが、国民の知る権利に適合するであろう。

〈参考文献〉


室井力「機関委任事務と指揮監督」都市問題研究二七巻三号。

塩野宏「機関委任事務の法的問題点」自治行政政策研究会編・地方自治と権限移譲（地方財務、昭和五五年八月号別冊付録）。

奥平康弘「情報公開法（条例）について」自治研究五六巻一一号。

今橋盛勝＝高寄昇三・自治体の情報公開（学陽書房、昭五七）。

情報公開と現代（法学セミナー増刊・日本評論社、昭五七）。

久世公堯＝浜田一成・議会（新地方自治講座２）（第一法規、昭四八）。

秋田周・執行機関・共同処理（新地方自治講座３）（第一法規、昭四八）。

原野翹「行政委員会制度」（法学教室・第二期４）。

4　住民の生活基盤に関する地方行政

25　いわゆるラブホテルの設置を町長の同意制にできるか

条例は法律に違反できない　法は全体として矛盾なく統一的でなければならないから、条例は国の法令（法律のみならず、政省令・規則を含む）に違反できない（憲九四条、自治一四条）。問題はどのような場合に条例が法令に違反したことになるかにある。この問題は昭和四〇年代まではさして論争の対象とならず、学説上も、国の法令による規制がある場合に、その法令と同一の対象について、同一の趣旨・目的をもって条例で規制することはできないといった、大まかな見解が提示されるに止まっていた。これは国法が先占すれば条例は規制できないし、条例が先に規制した領域について国法が規制すると、条例が失効するとしている。これを法律先占論という。

具体例　狂犬病予防法も飼犬取締条例もともに犬を対象とするが、前者は狂犬病予防を目的とし、後者は犬による危害の防止を目的とし、この両者は趣旨・目的を異にするので、飼犬取締条例は適法である。

内閣法制局意見（昭和四三年一〇月二六日）は現行の水質汚濁防止法の前身である水質二法（公共用水域の水質の保全に関する法律及び工場排水等の規制に関する法律）に基づく水質規制と地方公共団体の条例に基づく水質規制との関係について、法律先占論に立つ意見を述べている。すなわち、当時水質二法は指定水域のみを規制対象とし、水域を指定するときは同時に指定水域毎に水素イオン濃度、生物化学的酸素要求量、浮遊物質量というように特定の項目を掲げて、その項目毎に排水の汚濁の許容限度を定めると同時に、排水量が一定基準に満たない工場または事業場を規制対象外とし、また、規制対象となる工場・事業場（特定施設）は工排法令で全国一律に定められていた。この制度の下で、右意見は水質二法の解釈としては、地方公共団体がその特殊な地方的実情と必要に応じて、指定水域以外の水域に排出される水に関し、および特定施設を設置していない工場・事業場から指定水域に排出される水に関し、条例で規制する（横出し）ことは許されるが、水質基準と規制対象となる基準排水量は各指定水域毎に水量、地形等その特殊性を十分に考慮して定められたものであるから、条例でこれ以上の基準を定めることは許されないとしたのである。

昭和三〇年代後半から四〇年代に公害防止関係の国法が整備されてきたとき、従来からあった公害防止条例は国法に吸収され、条例は国の法令の未規制部分を規制する落ち穂拾い的なものに堕してしまった。

法律先占論の見直し　しかし、昭和四〇年代、公害防止は地域住民の生命・健康を守るために自治体に課せられた固有の自治事務であって、法律による全国画一的規制は最低限のものにすぎず、自治体が国法よりも厳しい定めを置く上乗せ条例も適法という見解が学界では有力化していった。これに対しては、国法をナショナル・ミニマムとするのは解釈学として行き過ぎで、条例による上乗せ、横出し(国法が規制していない工場、物質、水域等を規制すること)の可否は、地域社会における具体的必要性と規制の合理性、比例原則、技術進歩の程度、国の法律に定める罰則との関係等を総合的に配慮して個々具体的に判定すべしとの批判もある。

立法のレベルでは、昭和四五年の大気汚染防止法改正(四条一項)、水質汚濁防止法の制定(三条三項)が都道府県条例による上乗せを明文で認めて一応の解決を図ったが、なお、いおう酸化物について上乗せ条例を認めないこと、市町村条例による上乗せ規定を置かないこと、都公害防止条例のように、国の排出規制方式と異なり、工場単位の総量規制方式が適法であるか未解決であることなど、問題を残している。

判例の立場　最高裁大法廷昭和五〇年九月一〇日判決(判時七八七号二二頁)は法律と条例の目的が同じでも、国法が地方の実情に応じて別段の規制を施すことを容認する趣旨である場合は条例は適法であり、法律と条例が重複する場合でも、両者の内容に矛盾がなく、条例による重複規制がそれ自体として特別の意義・効果・合理性を有する場合には、法律の方が条例の規制の及ばない範囲においてのみ適法であるとして、条例制定権の範囲を従来の法律先占論を越えて拡張している。これにたいし、最高裁昭和五三年一二月二一日判決(判時九一八号五六頁)は河川法の適用を受けない普通河川について河川法なみの管理を必要とするときは市町村長はこれを準用河川に指定し、二級河川に準じた管理を行なうことができる(河一〇〇条)ことを根拠に、河川法は普通河川について条例により河川法以上に強力な河川管理をすることを許さない趣旨と解した。しかし、普通河川について河川法を準用する道があるからといって、それはそういう方法もあるというだけであり、そこから自治体が地域の特性に応じた別の規制方法を講ずることを禁止しなければならないのだろうか。

ラブホテル規制条例　長崎地裁昭和五五年九月一九日判決（判時九七八号二四頁）は、旅館業法は学校等の敷地の周囲おおむね一〇〇メートルでは清純な環境を守る観点から旅館業の許可をしないことができると定めているので、ラブホテルにつき町長が同意しないという条例は善良の風俗を保持する点で旅館業法と同一の目的で、同法より高次の規制をしているから違法と判示した。確かに、旅館業法は学校等周辺一〇〇メートルという基準で営業の自由と善良の風俗の間の調和を図ろうとしているとして、右条例は法により業者に保障された営業の自由を侵害するものと見れないことはない。しかし他方、善良の風俗を害する点ではラブホテルと変りがないモーテル営業が風俗営業等取締法四条の六により都道府県条例の指定地域では全面禁止されること、旅館が善良の風俗をそこなうかどうかは地域性（住宅街か歓楽街か）、通学路に面するかなど地域の事情により決せられるのであって、学校等周辺一〇〇メートルという基準を全国一律に適用する合理性に欠けることに鑑みると、旅館業法の規定は善良の風俗維持の観点から定められた最低基準であり、条例による規制は、前掲最判昭和五〇年九月一〇日にならい、これと重複しても、それ自体独自の意義・効果を有し、合理的なものとして適法視することもできるのではなかろうか。

26　商品の品質保証を条例で義務づけられるか

品質保証の必要性　たとえばカラーテレビが当初から色調や映像が悪いというように商品の品質・機能に通常期待されたものが欠けている場合、民法によれば、買主は小売店に対し債務の不完全履行や瑕疵担保などを根拠に代替品との取替え、修理、賠償、代金払戻しを求めることができないわけではない。しかし、小売店は民法上の右責任を特約により一方的に制限できるし、買主はメーカーとの間に直接の債権関係がないのでメーカーに直接責任を問うことができないなど、民法は消費者保護の点で不備である。また、耐久消費財に通常期待される耐用年限内に部品の消耗、消費者の使用ミス等から部分的な故障が生ずる場合にはアフターサービスが必要であるが、これはもともとの売買契約の内容となっていない。

そこで、耐久消費財の販売にあたっては、メーカーなり販売業者が品質について責任を負い、また、アフターサービスをする体制を整備することが望まれる。売主ないしメーカーとしても、消費者の苦情にこたえて社会的責任を果す必要や、販売促進のために商品の信頼性を高める必要があることなどにより、耐久消費財の販売にあたっては、一定期間無償修理するなどを約する保証書を発行するようになってきた。

品質保証の問題点

品質保証は業者が一方的に不動文字で印刷し商品に添付する品質保証書によって行なわれるので、業者に有利で、たんなる販売促進の道具やアクセサリー的なものになりがちであって、必ずしも消費者の立場に立ったとはいえないものが多い。たとえば、保証内容や適用除外基準が不明確で、業者に一方的に有利だったり、保証書による修理サービスに地域的限定があるため、転居、贈答の場合保証を受けられないとか、保証書に明示せずして修理サービスのさい出張料・送料を消費者に負担させるとか、保証書に販売店名や印、購入年月日の記入がないため保証を受けられないとか、保証期間が短いとかの問題がある。また、販売業者は民法上負う責任を保証書により制限してしまったり、保証期間が過ぎたら消費者は民法上の責任追及もできなくなると誤信しやすいなどの問題点もある。

条例による品質保証義務づけの必要

品質保証書に伴う右の不合理を是正し、力関係において弱い立場にある消費者を保護するために行政の介入が必要と考えられるが、国のレベルでは、通産省がある程度の行政指導をしている程度で、見るべき施策は少ない。そこで、自治体のなかには、強力な消費者運動を背景に条例により品質保証規制をするところがでてきて、またたく間に全国各地に普及した。たとえば、昭和五二年全国に先がけてこの規制を実施した神戸市のくらしを守る条例・規則では、一定の商品について保証書の添付、保証内容の事前開示を事業者に義務づけ、保証書記載事項として、品名、販売者名、保証者名のほか、無料保証の期間とその対象となる部分、その態様（修理、取替え、払戻し等の区別）、無料保証を受けるための条件（保証書の提示、転居、贈答等の場合における手続等）、無料保証の適用除外、修理部品の保有期間及び修理可能期間、保証を求める場合の申出先の明示、保証書を添付すべき商品として、電気冷蔵庫、テレビ、テープレコーダー、時計等一般消費者の生活の用に供される耐久消費財二七種をあげている。たんなる初期不良の無料修理特約のほかに、製品の耐用年数全期にわたってその有用性を保証するのが耐久消費財の保証の本来のあり方との考えによるものである。

条例による規制の限界　消費者保護は自治体の事務ではある（自治二条三項一七号）が、条例は法令に違反できず、かつ、地方公共団体の事務に関してのみ制定できることから、品質保証との関係でも条例による規制には大きな限界がある。

まず、私法秩序の創設は一般に法律事項であるとされるので、保証期間や修理可能期間を一定年限以上にせよとか一定の故障にたいし無料保証を義務づけるとか、業者の保証責任を制限する特約を禁止するとか保証内容を適正化するための規制をすることは条例の限界を超えるといわれる。この点で右神戸市条例は保証書の内容に介入しているのでなく、たんに業者が決めた保証書の内容の積極的な表示を求めているだけなので、条例制定権の限界を超えないと見られる。保証内容の適正化は保証内容の表示を契機とする消費者の商品選択を通じて間接的に実現されることが期待されているに止まるのである。ただ、保証書添付の義務づけの部分は事業者にアフターサービス契約締結義務を課しているのではないかとの疑問が出されている。また、修理可能期間の表示も保証主に対する修理契約の締結義務賦課を前提とするので私法関係を創設している疑いがあるとされている。さらに、事業者は保証表示によって当該生活物資に係る法律上の責任を免れるものではない旨明示することを求めている条例（東京都、川崎市）は保証書と民事責任が無関係である旨表示することを求めるに止まらず、保証書により民法上の責任を排除する特約をすることを禁ずるとか、買主と直接契約関係に立たないメーカーに責任があることを前提とするものとすれば、私法秩序に介入していないかという問題がないではない。国法による規制が早急に実現されることが望まれる。

つぎに、たんなる表示規制であっても、全国流通商品については地方毎にバラバラに規制すると、生産出荷を不必要に阻害するから、法律で画一的に規制すべきではないかという問題がある。確かに、地域により要求される保証書の内容が異なれば、業界にとって不便であることは確かである。しかし、要求される保証書が地域により矛盾するなら業界も困る――その場合はいずれかの条例が不合理として無効とされるか、それとも業界は地域毎に異なる保証書を発行するしかない――が、さもなければ大は小を兼ねるので一番厳しい条例に合せて保証書を作成すればよいし、条例違反に加えられる制裁も刑罰ではなく勧告、公表という手法がとられているだけであるから、業界としては条例により要求される保証書の内容が不合理と信ずれば堂々と世間に訴えて制裁を免れることもできるのである。こうした事情を考えると、品質保証制度が全国画一的であればより望ましいであろうが、そうでなくとも必ずしも違法という程ではないのではないかと思われる。

27　動物による被害防止のための法規制はどうなっているか

動物と法律　動物による人身被害としては、もともとは山奥で熊に襲われたとか、マムシに咬まれたといった類のものと、狂犬病に罹患した犬に咬まれたというものが中心的地位を占めていたといってよい。このうち、前者は私人が自ら被害を回避できる自己責任の領域でもあれば、行政的に被害を防止することがほぼ不可能であるためもあって、法的規制は行なわれていない。後者については狂犬病予防法（昭二五法二四七）が制定され、通常時の措置として犬の登録、予防注射の義務づけ、この義務に違反している犬の抑留など、狂犬病発生時の措置として、届出・隔離義務、狂犬病発生の公示、犬のけい留命令、一せい検診、臨時予防注射、犬の移動の制限、交通制限等を定めている。これは都道府県知事または保健所設置市の市長にたいする機関委任事務とされている（別表第三一—三十一、第四一—十五）。このほかに、国の法律としては、動物の保護及び管理に関する法律（昭四八法一〇五）があるが、これは動物愛護に重点があり、「動物が人の生命、身体若しくは財産に害を加え」る点については、動物の所有者または占有者に、そうすることのないよう努力義務を課し、また、地方公共団体にたいしては、条例で動物の飼養および保管に関し必要な措置を講ずることができる旨明文により授権しているに止まる。

ところが、近時は野犬や飼い犬が人を咬み殺したり、ペットとして飼っているライオンやトラが来客を負傷させたり、逃走して、周辺住民を恐怖に陥れる事態が発生し、また、放し飼い動物園であるサファリの動物管理の安全性も気になるところである。猫がよその小鳥を殺したり、夕食のおかずを盗む例もある。

自治体の対応　そこで、こうした危険ないし迷惑な動物の管理を徹底させることが必要であるが、これについて国法は何も定めていないので、自治体の対応が必要である。

まず、動物の規制のための手法として条例を必要とするか、要綱でも足りるかは、飼主がいるかどうかで決められる。すなわち、飼主がいる動物を抑留したり、飼主に動物の飼養・管理について一定の義務を負わせたりすることは、国民の自由や財産に対する制限となるから、法律の根拠（留保）に関する通説である侵害留保説により、法律ないし条例の根拠を必要とする。地方自治法上はこうした権力的・行政執行的事務を行政事務と称し、条例で定めなければならない（自治一四条二項）とされている。自治体によっては、たんに特定動物管理指導要綱といったものを作成しているが、これはたんに行政指導を行なうさいの基準であり、飼養者の自主性に待つ以外にないところに、その実効性の限界がある。最近は飼い犬の管理に関する条例、危険な動物の飼養及び保管に関する条例などの行政事務条例を制定して、危険予防を図る自治体が増えている。

他方、野犬、野良猫を捕獲・殺処分するには、飼主の権利自由の制限という問題はないから、条例の根拠を要しないのであって、行政独自の判断により必要あればなしうることであろう。ただし、実際上は野犬取締条例ないし犬（飼犬、野犬の両方を含む）取締条例を制定している自治体が少なくない。猫については、対象となる猫が飼猫なら前記の通り行政事務として条例によらねばならず、野良猫なら条例の根拠を要せずに捕獲できることになるが、猫には首輪も鑑札もないという現行制度のもとでは、猫の捕獲に当る職員が野良猫と飼猫を見分けることは不可能であるから、猫を捕獲しようとすれば、犬についてと同様、条例を置く必要があろう。

こうした動物の捕獲や管理に関する条例は、国法である狂犬病予防法とは目的において全く異なるから、国法に抵触することなく適法に制定できる。

規制の不作為と国賠責任

野犬が頻繁に出没するので危険だから捕獲してほしいとか、ある飼犬はいつも人や他の犬を襲うくせがあるから、口輪をはめさせるよう命令してほしいとか、ペットとして飼っているライオンの檻をもっと厳重なものにさせてほしいなどの要望が付近住民から出されることがある。管轄の保健所がこれに満足な対応をしないでいるうちに、人身事故が発生した場合、被害者は保健所の属する都道府県または保健所設置市にたいして、国家賠償法一条に基づいて損害賠償請求できるであろうか。これは行政自体が直接に加害行為をしたわけではなく、たんに社会に存する危険を防止しそこなった場合であるので、伝統的には国家賠償責任が成り立つかどうかは疑問のあったところであるが、最近は行政の規制請求権とか行政の危険防止責任といった言葉で国家賠償責任を根拠づける動きが判例学説上顕著である。

この点の論点としては反射的利益論と自由裁量論という二つの障害を克服する必要がある。

まず第一に、従来、国民の安全を守る行政は広く一般抽象的な公益につかえるものとされ、個々人の保護を目的としないから、行政が国民の安全を守らないために国民に被害を生じても、それはたんなる反射的利益の侵害にすぎず、賠償責任の根拠とはならないとの説があった。これはスモン、カネミなどの医薬品、食料品被害にさいし被告となった国が持ち出した理屈でもある。しかし、動物による人身事故が発生した場合には、生命・身体が害されたのであるからたんなる反射的利益の侵害ではないし、また、行政は国民の安全を守るためのものであるから、国民の安全は行政が本来保護しようとするものであって、反射的利益ではありえない。これは近時通説判例になっている立場である。

つぎに、行政は野犬、危険な動物等の規制につき、常に権限を発動しなければならないとは定められていないので、権限を発動するにつきある程度自由裁量権を有する。行政の不作為が違法になるためには、行政が当時権限を発動しなければならなかった場合に限られるので、行政の自由裁量権が状況によりゼロに収縮することを要する。この裁量権ゼロへの収縮が認められるためには、行政の予見可能性の存在、私人の被害回避可能性が少なく、行政でなければ被害を防止し難いことなどが認められる必要があるとされている。事案の状況次第であるが、野犬に子供が咬まれて死亡した事件では県に対する国家賠償請求が認められた例がある。飼犬、サファリ、ペットライオンによる被害でも同様の事態が生じないとはいえない。

28　放置自転車の対策は、どのようになっているか

自転車公害と対策のあり方　自転車は効率が良く、健康的・経済的で、手軽な乗物であるから、全国に五〇〇〇万台を超えて普及している反面、交通事故を漸増させ、また、駅前、道路、公園などに放置されて交通を妨げ、美観を害する事態を生じさせている。駅前放置自転車のワースト・スリーは国鉄柏駅（千葉）の六一八三台を筆頭に、国立（東京）の五五〇〇台、阪急武庫之荘（兵庫）の四七六九台となっている（昭五五・三）。そこで、今日、放置自転車対策が緊急の課題となってきている。この自転車対策はただ規制を強化するというムチ手法だけでは自転車の効用を阻害し、利用者の反発を招いてかえって成功し難いので、駐車施設を建設するとか、バスなどの交通機関を整備するなどのアメ手法をあわせ用いることが必要である。

国法の遅れ　放置自転車公害が社会問題化したのはごく最近のことであるから、法的対応は著しく遅れている。ここに社会の発展と法とのギャップが見られるといってよい。まず、道路交通法は違法駐車に対する措置として、警察による車両の直接移動（いわゆるレッカー移動）・保管の規定を置き（五一条）、ここでいう車両には自転車も含まれる（二条一項八号・一一号）が、車両の移動保管の費用を定める都道府県規則（五一条八項）は車両一台六〇〇〇円プラス駐車料金などと定められ、保管した車両の公示のさいはナンバープレートをも公示するとされて

（道交令一五条）、自転車を予想していないし、保管した自転車につき所有者が引き取らないとき処分の規定がない（五一条と八一条を対比せよ）ので警察が自転車の洪水に埋れてしまうとか、自転車は大量に放置されているから迷惑なので、一台一台の自転車が移動保管の要件たる「交通の危険を防止し、又は交通の円滑を図る」に該当するかどうかに疑問があるといわれる。また、違法駐車に対する制裁では、自動車、原動機付自転車の場合反則金を納付すれば刑事事件にならないという簡易な手続が置かれているのに（一二八条二項）、軽車両である自転車の場合（一二五条一項）には規定のうえでは原則に戻って刑事罰である罰金を科される（一一九条の二）というアンバランスがあることはそもそも自転車は予想されていなかったことを示す。さらに、「交通の妨害となるような方法で物件をみだりに道路に置」いた者に対しては、刑事制裁（七六条三項、一一九条一項一二号）、物件の除却・保管（八一条）の制度があり、道路法にも「みだりに……道路の……交通に支障を及ぼす虞のある行為」（四三条二号）の禁止、監督処分（七一条）、刑事罰（一〇〇条三号）の規定があるが、これらの規定は放置自転車を予想していないし、また大量の自転車は総体として交通を妨害していても、一台一台が交通を妨害したことになるかには問題もあろう。このほか、道路法、道交法は適用対象を道路に限定しているから、道路以外に放置された自転車には適用されない。実務上も放置自転車を撤去するための人員と広い駐車場は警察にも道路管理者にもない。このように国法レベルのムチ手法はきわめて不備である。

自転車法と助成システム

国レベルでは昭和五五年にいわゆる自転車法（自転車の安全利用の促進及び自転車駐車場の整備に関する法律、昭五五法八七）が成立したが、これはプログラム法という性格のもので、百貨店・スーパー等に条例により自転車駐車場の設置を義務づけることを可能としたほかは、放置自転車の処分に関する特例規定は置かれていない。他方、公共自転車駐車場整備のための国庫補助制度としては、道路事業として改築事業等、交通安全施設整備事業、街路事業として改築事業、自転車駐車場整備事業、総合都市交通施設整備事業などがある。

市町村の対応

このように国レベルの対応は不十分なので、直接住民の苦情を受ける第一線にある市町村は現行法を駆使して対策を講じている。それは一方で駐車場を整備するとともに、他方、放置されている自転車で機能喪失したものは廃棄物として、そうでないものは遺失物として拾得しているが、遺失物法では自転車の撤去・処分等について指導警告板の設置・自転車への荷札の取付け等により一～三週間警告し、この期間経過後放置自転車を整理撤去するとともに、引き取り手のない自転車を処分する旨警告し所有者を調査したうえ、すみやかに放置自転車を所有者へ返還するとともに、所有者が現われない自転車を置去り物件として警察に差し出す。この手続は繁雑であるうえ、通勤のため朝駅前に放置し夕方引き取る自転車（これが大部分）に対しては適切な対策はとれないなど、問題が多い。

自転車条例の試み

そこで最近中小都市レベルで自転車条例を制定して対策に乗り出すところがでてきた。なかでも、大阪府八尾市では近鉄八尾駅前の一五〇〇台を筆頭に市内一一の駅前はどこも放置自転車でいっぱいなので、同市条例は市内の三つの主要駅から半径三〇〇メートル以内を自転車放置禁止区域に指定し、この区域内に放置されている自転車を移動保管し、それに要した費用（移動費六〇〇円、保管費は撤去した日から二週間まで無料、それ以降は一日四〇円）を利用者から徴収すると定めた。そして、市は三カ月を限度に保管し、三カ月過ぎても持ち主が現れないと準遺失物（遺失一二条）として警察に引き渡す。この三駅周辺は放置自転車も多いが、有料無料の自転車置場が完備しているため放置禁止区域にしたもので、他に市内八駅周辺を放置抑制区域に指定し、費用は徴収しないが、強制撤去はする。この条例が施行されたら効果てきめんで、条例施行後数日して駅前の放置自転車は姿を消した。このほか、東京都品川区、国立市、大阪府寝屋川市なども放置自転車対策のため条例を制定している。

解釈上の論点としては、放置自転車による公害の防止は自治事務であり（自治二条三項一号・七号）、かつ国法でこれに反する規定はないから、条例の規制対象になることは確かである。問題は個々の内容である。まず、放置自転車の移動保管は講学上の即時強制とされるが、これについては法律により定めるとの原則は必ずしもないから条例で定めることも可能と見るべきであろう。飼犬条例による犬の捕獲がその例である。そして移動保管費用は原因者負担の一種として徴収できよう。保管した自転車を処分する旨定める条例もある。これは道交法にもない強力な手法であるが、自動車と異なり自転車の場合引き取らない者が多いこと、自転車の価格が安いことに鑑みると、道交法と比べて不均衡とはいえないであろう。

29　文京区と文教地区の違いは。地域地区制とはどんな制度か

ブンキョウクとブンキョウチク　文京区と文教地区はち（地）が入るか入らないかの差だけで、いずれもいかにも勉学に適する地区のような感じがする。事実、東京大学をはじめ東京都文京区には多くの大学があるし、文教地区はまさに学問教育のために設けられた地区である。しかし、この両者の性格は全く異なる。文京区は市に準ずる地位にある特別地方公共団体たる特別区であり（自治一条の二第三項・二八一条以下）、文教地区は都市計画法八条、建築基準法四九条一項に基づき設けられた地域地区（ゾーニング）の一種であって、文教と両立しない建築物の建築の制限禁止を定めるものである。たとえば、神戸市文教地区建築条例によると、待合、カフェー、料理店、キャバレー、ナイトクラブ、舞踏場、ホテル、旅館または簡易宿所、トルコ風呂、劇場、映画館、まあじゃん屋、ぱちんこ屋、ボーリング場、その他文教上の目的を害するおそれのあるものは文教地区には建設できない。筆者の勤務する神戸大学の周辺にはマージャン屋も映画館もなく、休講のとき遊び場に困る学生諸君もいると思われるが、それは神戸大学一帯が文教地区に指定されているからである。これに反し、東大周辺にはマージャン屋が多数あるが、それはその辺一帯が文京区ではあっても、文教地区ではないためである。

地域地区の目的と適用地域

土地は住居、病院、学校、遊技場、風俗営業、商店、事務所、工場等種々の目的に利用される。これらのなかには共存共栄できるもののほかに、たとえば、住宅・病院と工場や風俗営業などのように公害防止や善良な風俗の維持の観点からして共存することが好ましくないものもある。また、緑地、学校、市民センター、プールといった公共施設の必要度も住宅街、商店街、工場地帯といった土地の用途によって異なるので、公共施設を効率的に建設し運営するために土地の用途を純化することが必要である。このように、住居・商業・工業等の用途を適正に配分することにより、都市機能の維持増進、住居環境の保護、商工業の利便の増進、美観風致の維持、公害防止等適正な都市環境の保持に寄与しようとするのが地域地区の制度である（都計一三条一項二号）。

地域地区は都市計画法上の制度であるから都市計画区域外には定められない。すなわち、わが国では一体の都市として総合的に整備開発保全する必要がある区域のみが都市計画区域（同五条）として都市計画法の適用対象とされ、それ以外のいわゆる白地地域ではある程度開発が進み集落があっても都市計画法の適用はないから、用途の混在は放任されている。しかも、都市計画区域内でも後述する用途地域は既成市街地ならびにおおむね十年以内に優先的かつ計画的に市街化を図るべき区域である市街化区域についてのみ定めるものとし、市街化調整区域では用途地域を定めないのを原則とする（同一三条一項二号）。

都市計画法八条に定める地域地区街区にはつぎのようなものがある。

地域地区の種類

①　用途地域　　地域地区の最も基本的なもので、市街化区域では必ず定められる。現在、第一種住居専用地域、第二種専用地域、住居地域、近隣商業地域、商業地域、準工業地域、工業地域、工業専用地域の八種類があり、建築物の用途と形態（高さ、建ぺい率、容積率）をワンセットで規制している。この定め方は、第一種住居専用地域では建築できる建築物を限定列挙しているが、それ以外の地域では逆に建築できない建築物を限定列挙する方式をとっており、住環境の点からみると、右に示した順に用途規制がゆるやかになっている。

②　特別用途地区　　用途地域制はきわめておおまかなものなので地域の特性に応じてよりきめのこまかい用途規制を必要とする場合がある。特別用途地区はこの要請に応じて、用途地域を基礎とし、その上乗せ規制をするものであり、前述の文教地区のほか特別工業地区、小売店舗地区、事務所地区、厚生地区、娯楽・レクリエーション地区、観光地区、特別業務地区の八種類がある。

このほかに、③機能的な用途地区として、特定の都市機能の維持増進を図るものに臨港地区、流通業務地区、駐車場整備地区、④形態規制のための地区として、用途規制とは別に形態規制のみを行なうものに高度地区、高度利用地区、特定街区、⑤防火のための地区として、防火地区・準防火地区、⑥公害防止のための地区として、航空機騒音障害防止（特別）地区、⑦美観風致等のための地区として、美観地区、風致地区、伝統的建造物群保存地区、⑧保全のための地区として、歴史的風土特別保存地区、第一種・第二種歴史的風土保存地区、緑地保全地区、第一種・第二種生産緑地地区がある。

地域地区と自治体の役割　昭和四三年の現都市計画法の前身たる旧都市計画法の下では都市計画権は建設大臣の事務とされ、地元市町村には運用として原案作成権が認められていたにすぎなかった。現行都市計画法はこれに反し都市計画権の地方委譲を表看板として、都市計画の決定権者を原則として都道府県知事と市町村としている。この知事の権限は機関委任事務、市町村の権限は団体委任事務といわれる。ただ、知事の定める都市計画も大臣認可を要し、市町村の計画も知事の承認を要する（都計一八条三項・一九条）うえ、建設大臣の指示代行権が認められている（同二四条）ので実態は旧法時とそう変らないといわれている。

都道府県知事と市町村の地域地区に関する計画権の分配をみると、都道府県知事は県庁所在市、人口二五万人以上の市の区域に係る用途地域、風致地区、臨港地区等広域的・根幹的なものを定め、それ以外は市町村が定める（都計一五条、同施行令九条）。市町村は用途地域の決定にさいして事実上原案を作成し、法的にも知事から意見を聞かれるし（都計一八条）、用途地域の例外許可（建基四八条）は建築主事を置く自治体の長が決定するし、特別用途地区（同四九条）、美観地区（同六八条）、風致地区（都道府県ないし指定都市の条例による。都計五八条・八七条）、駐車場整備地区（駐車場二〇条）、伝統的建造物群保存地区（市町村条例による。文化財八三条の二）における規制内容を条例で定めることができる。

30　ミニ開発規制指導要綱の法的性質は何か

ミニ開発とは　いわゆるミニ開発とは一戸当りの敷地面積が著しく狭益な宅地開発・住宅建設をいう。高度成長期において人口が大都市へ集中し、持家政策にあおられて土地付一戸建のマイホームを夢みたのに、他方、異常ともいえる地価高騰のため、標準的な住宅の価格と庶民の支払能力との間に著しいギャップが生じた。その結果、不動産業者は庶民の支払能力に合せて敷地を細分化して売り出すようになったのである。これには一戸当り敷地面積が七〜八〇、なかには、四〇平方メートルのもある様である。

これでは土地付一戸建とは名ばかりで、隣家との間に空間をほとんど確保できないから、防火、防災、衛生、プライバシー・日照・通風の保護などの観点からして問題が多いし、さらに、これにつけ加えて、往々にして違反建築で、各自単独では適法に建て替えができないなどのため、経済力のある者はいずれ出ていき、経済力のない者が残る結果、ミニ開発地域は将来スラム化し、その再開発のためには老大な社会的投資を必要とすることになる。

ミニ開発の法制的要因　ミニ開発は右に見たような社会経済的要因により発生したものであるが、法的にもミニ開発を抑制するシステムが存在していない。わが国では、アメリカの地方自治体が環境を守るため等の理由で活用しているといわれる最小限画地規制は法律上制度化されてこなかった。昭和五五年に建築基準法と都市計画法の改正により導入された地区計画制度により、はじめて敷地の最低面積を定めることができることになった（都計一二条の四第五項二号）が、この制度の活用可能性は法的にも実際的にも限られている。そもそもわが国では土地所有者の「建築の自由」が大幅に尊重される制度が置かれ、極端な場合には電気・ガス・水道・下水道・学校など公共公益施設は一切なくとも、ただ四メートル道路に二メートル以上接しさえすればどこにでも建物を建てることができ（建基四三条）、しかも、その道路も既存公道がなければ私道の位置指定を受ければよいとされているのである（同四二条一項五号）。区画の大きさに関するものとしては建物の建築面積の敷地面積に対する割合すなわち建ぺい率があるだけなので、建物を小さくすれば敷地も狭くできるのである。そうすると、スプロール、ミニ開発、無秩序なマンション等乱雑な土地利用が進み、健全な街づくりが阻害される。

そこで、これを防止するために自治体レベルで条例により規制することが考えられるが、それには法解釈上種々障害を乗り越えなければならないのである。すなわち、財産権を規制する根拠たる法律（憲二九条二項）は条例を含むか、かりにこれを肯定するとしても、地方自治法二条三項一八号が「法律の定めるところにより、建築物の……敷地……等に関し制限を設けること」を自治体の事務としている趣旨が法律に基づかない自主条例により土地利用規制をすることを禁ずる趣旨であるかが争われているのである。前者については、条例も法律同様自主法であることを根拠に肯定説が多いが、後者については自主条例禁止説が多い様である。もとより、土地利用規制という元来地域性に富む事柄については法が一元的包括的に規制しようとすることは不可能であるから、国法と真正面から抵触しない限り、条例制定権の範囲を可及的に広げる解釈も成り立ちうるが、いずれにしても争いのあることは確かである。

指導要綱の必要性と法的性質　このように、ミニ開発については健全な街づくりという観点からの対応策が必要と見られるが、法律や条例による対策は活用し難い状態にある。そこで、徒手空拳の自治体が発案したのがいわゆる指導要綱である。すなわち、一定面積以下に宅地を細分化しないよう自治体が指導するわけで、かなりの自治体で活用されていると見られる。

要綱は指導要綱という名称が示す通り、あくまで指導を行なうにすぎないから、講学上の行政指導である。すなわち、それは相手方に働きかけ、その任意の協力を得て行政目的を達しようとする公行政作用の一つである。法規に基づき、国民に命令・強制する行政行為とは法的に見て全く異なる。

しかし、行政目的の達成が相手方の協力に依存するシステムでは、相手方の協力が欠けるため行政目的が達成しにくいことが少なくない。とくに、ミニ開発では限られた宅地にできるだけ多くの建売住宅を建てて分譲することが業者の営業利益を極大化するものであるから、業者が自らの営業利益を減らしてまで、健全な都市環境づくりに進んで積極的に協力するわけではない。そこで、指導要綱を業者に遵守させるため、なんらかの実効性担保手段が必要である。現実には、ミニ開発の場合には、建築確認の留保、道路位置指定の留保、水道の供給拒否などの手段が考えられる。

要綱の適法性と限界

このように、要綱は形式的には相手方の任意の協力を得て行政目的を達成する建前であるが、現実には右のように強力な実効性担保手段の裏打ちがあるので、権力的な行政行為と同様に機能することが少なくない。そこで、法律の根拠の要否と指導の限界の問題が生ずる。

まず、行政活動に個々具体的な法律の根拠を要するかどうかについては、全部留保説や侵害留保説の対立があるが、実質的な強制力を有する行政指導については、全部留保説はもちろん侵害留保説からも権力作用に準ずるものとして法律の根拠を要するとの意見が出されている。しかし他方、健全な住環境への誘導ないしそれの破壊の防止は自治体の責務であるから、自治体が法律がないからとて住環境が破壊されていくのを拱手傍観するのは、その責務を放棄したことになる。のみならず、建築基準法、都市計画法も快適な住環境の建設を目的としていると見られるから、ミニ開発抑制の行政指導は法の目的に背馳するものではなく、むしろ、法の空白ないし法と社会のギャップを埋めるものとして積極的に評価されよう。

しかし、要綱はあくまで行政指導であって権力行政の根拠たる法律に代りうるものではないから、要綱に従うべく説得中はともかく要綱不服従に対する制裁を目的として長期間建築確認や道路位置指定処分を保留したり、水道の給水を拒否したりすれば、それは行き過ぎと評価される可能性が高い。この辺が近時の判例の傾向といえるようである。

❖31　消防において公共団体はどんな役割を果たしているか

消防は行政の任務　火災は多数の尊い人命・財産を奪う。最近でも川治温泉、大阪の千日前デパートビル、静岡の地下街、ホテルニュージャパンなどで悲惨な火災が発生している。これを個人が防止するにも限度がある。そこで、火災を未然に防止し、既然に鎮圧する消防は行政の重要な任務とされる。どんなに行政改革が進んでも、消防は廃止できまい。

自治体消防の原則　一般にわが国では自治体が担当している行政事務でも、実は国の機関委任事務で、自治体の長が国の大臣や県知事の指揮監督下に処理しているものが多い。どういう基準（予算、人員、事務量、数など）で算定しているかわからないけれども、一般に府県レベルの事務の七～八割、市町村レベルの事務の四割程は機関委任事務といわれる。とくに、権力的行政の多くは機関委任事務とされているが、消防は自治体それも市町村固有の事務とされている珍らしい存在である。すなわち、市町村は当該市町村の区域における消防を十分果すべき責任を有し（消組六条）、市町村長が条例に従って消防を管理する（同七条）。消防に要する費用は市町村の負担とされる（同八条）。これに応じて、市町村の消防は、消防庁長官または都道府県知事の運営管理または行政管理に服することはないという市町村消防独立の原則（同一九条）が置かれている。消防庁長官は、必要に応じ、消防に関する事項について都道府県または市町村に対して助言を与え、勧告し、または指導を行なうことができるのみであり（消組二〇条）、都道府県知事は、必要に応じ、消防に関する事項について、市町村に勧告し、市町村長または市町村の消防長から要求があった場合は、消防に関する事項について指導しまたは助言を与えることができるに止まっている（同二〇条の二）。

自治体消防のしくみ　市町村は消防本部および消防署、消防団を置くのが原則であるが、小さい町村は消防団のみを置くことが許されている。消防本部および消防署の設置・位置・名称・消防署の管轄区域や消防団の設置・名称・区域は条例で定められる（消組一一条、一五条）。それぞれ条例で定める定数の消防署員、消防団員が置かれる（同一二条・一五条の二）。消防が一の市町村の消防力のみでは対応できない場合もある。そこで、市町村は、必要に応じ、消防に関し相互に応援するよう努めなければならず、市町村長は、消防の相互応援に関して協定することができる（同二一条）。消防と警察は相互に協力しなければならず、消防庁、警察庁、都道府県警察、都道府県知事、市町村長および水防法に規定する水防管理者は、相互間において、地震、台風、水火災等の非常事態の場合における災害防禦の措置に関して予め協定することができる（同二四条）、知事は緊急の必要があるときは、右協定の実施その他必要な指示をすることができ（同二四条の二）、消防庁長官は災害発生都道府県以外の知事にたいし消防の応援のため必要な措置をとることを求めることができる（同二四条の三）。

国、県の任務　国には自治省の外局として消防庁が置かれるが、これは右に述べた市町村消防独立の原則により、現実に消火活動を行なう組織ではなく、消防全般に関する基準・準則・計画の研究・立案・指導・助言等を行なっている（消組四条）。都道府県も市町村相互間および都道府県と市町村間の連絡協調のほか、指導・訓練・情報・あっせんなどの事務を扱っている。

また、火災予防のために高層建築物、地下街、劇場等において使用する防災対象物品（どん帳、カーテン、展示用合板等）は一定の防災性能を有する必要があり（消防八条の三）、学校、病院、工場、事業場、興業場、百貨店、旅館、飲食店、地下街、複合用途対象物には一定の消防用設備を設置しなければならない（同一七条・一八条）が、これの基準は政令すなわち国レベルで定められている。

建築基準法による火災対策　火災防止方法としては以上にみた消防のほか、建築物自体の防火措置により着火および燃焼を困難にすることが必要である。そのため、建築基準法は劇場、病院、ホテル等の特殊建築物を耐火建築物とし（建基二七条）、大規模木造建築物を制限し（同二一条）、また、延べ面積が一〇〇〇平方メートルをこえる木造建築物の外壁・軒裏で延焼のおそれのある部分を防火構造とし（同二五条）、延べ面積が一〇〇〇平方メートルをこえる建築物には防火壁を要すると定めている（同二六条）。さらに、防火地域および準防火地域以外の市街地では特定行政庁が指定した区域（通称屋根不燃化区域）内では耐火建築物および簡易耐火建築物以外の建築物の屋根は不燃材料で造り、またはふかなければならず（建基二三条）、木造建築物の延焼のおそれのある外壁を土塗壁等とし（同二三条）、木造の学校、劇場、集会場、百貨店等の外壁・軒裏で延焼のおそれのある部分は防火構造としなければならない（同二四条）とする。一定の特殊建築物、大規模建築物等には火事の場合に火の回りを遅くし、人がすみやかに避難できるよう、内装制限（同三五条の二）、避難施設、消火設備等（同三五条）の基準が置かれている。さらに、防火地域と準防火地域では一定の建築物を耐火建築物なり簡易耐火建築物とするなどの制限がある（同六一条以下）。地下街には内装制限、排煙設備、非常用の照明設備、排水設備などの安全基準が定められている（建基令一二八条の三）。

これら建築基準法の規制は建築主事の行なう建築確認（建基六条）、特定行政庁の行なう違反建築物に対する是正措置（同九条）により担保される。建築主事は政令で指定する人口二五万人以上の市に置かれ、また、それ以外の市町村もこれを置くことができる。建築主事を置かない市町村の区域における建築確認事務を担当するのは都道府県の建築主事である（同四条）。特定行政庁とは建築主事を置く市町村の区域については当該市町村の長をいい、その他の区域については都道府県知事をいう（同二条三五号）。このように、建築行政は市町村、都道府県レベルにおろされているが、それは機関委任事務とされている（別表第三一―百二十一、別表第四一―五十）。また、建築許可等については消防長の同意がなければ与えることはできない（消防七条、建基九三条）という形で、消防と建築監督の権限の結びつきが図られている。

▲32　公共団体は予防接種で、どんな役割を果たしているか

予防接種の意義　予防接種とは、疾病に対して免疫の効果を得させるため、疾病の予防に有効であることが確認されている免疫源を、人体に注射し、又は接種することをいう（接種二条）。これは各個人および集団に対して伝染病に対する抵抗力を賦与してそのまん延を防止しようとする感受性対策であり、感染源対策、感染経路対策とならぶ伝染病予防対策の三本柱の一つである。これに関する国法には予防接種法と結核予防法があるが、これは昭和五一年に大幅に改正された。以下、予防接種法を中心に説明する。

予防接種の対象となる疾病は結核予防法に基づく結核と予防接種法に基づくものとして、痘そう、ジフテリア、百日せき、急性灰白髄炎、麻しん、風しん、コレラ、インフルエンザ、日本脳炎、ワイル病等がある。

予防接種の種類には乳幼児期等人生の一時期を中心に免疫を与えマクロの免疫水準の維持確保を目的とする定期の予防接種（ジフテリヤ、百日せき、急性灰白髄炎、麻しん、風しん（接種令一条））と、疾病の現実の流行またはその具体的な可能性を前提に流行の防止のために適宜行なう臨時の予防接種（これに一般的なものと緊急の場合のものの二種類がある）がある。

予防接種の仕組み　従来は法律に基づき、罰則による強制を伴う強制接種と、インフルエンザおよび日本脳炎について実施してきた行政指導による勧奨接種の二種類が認められていた。前者は厚生大臣の事務を市町村長に機関委任したものであるのにたいし、後者は国の行政指導により市町村が固有事務として実施するものである。そこで前者の予防接種により事故が発生した場合には国は国家賠償法一条一項により、担当の市町村は予防接種費用の負担者として同法三条一項により賠償責任を負うとの判例がある（三種混合予防接種事故訴訟、東京地判昭五三・三・三〇判時八八四号三六頁）。これに反し、後者の予防接種事故の場合には実施主体は国ではなく市町村であるから、担当医師は市町村の委嘱を受け、その特別職の職員として接種を担当したことになり、医師の過失により事故が発生した場合には責任主体は市町村であって国ではないとの判例（インフルエンザ予防接種事故訴訟、東京地判昭五二・一・三一判時八三九号二一頁）があった。しかし、いずれにせよ法的責任は不明確であったので、昭和五一年の法改正により勧奨接種は廃止され、法律に基づく予防接種に統一された。

予防接種の実施者は、市町村長である。法改正前にはそのほかに、医師が任意に行なった場合は当該医師自身が実施者となり、事故の場合にも責任を負わされたので、十分な救済もできず、また予防接種の円滑な実施が困難となってきた。そこで、改正法では法による定期の予防接種は市町村長が行なうもののみとされ、また、救済制度の責任とのからみで、市町村長は当該市町村の区域内居住者に対してのみ定期の予防接種を実施する義務があるとされた（接種三条）。

さらに、医師のところで個別接種する場合でも、それは市町村長が行なう予防接種を補助者の形で行なうことになるので、事故があった場合も、責任を負うのは当該医師ではなく自治体または国とされる。

予防接種事務は国の事務とされる。すなわち、予防接種は恐らくは全国統一水準の確保の必要から地方自治に委せず、市町村長に対する機関委任事務とされ（別表第四二―十三）、市町村長が法律の規定通り予防接種をしない等のときは知事が予防接種を行ない、その費用を市町村に支弁させるという代執行の制度が置かれている（接種二五条）。

予防接種の義務づけ　予防接種は各個人を免疫にすることにより社会集団の免疫水準を維持し、それにより社会を伝染病の流行から防衛するものであるから、国民の予防接種率を高めることが必要である。法改正前にはこのため国民に予防接種の義務を課し、義務違反者を処罰することとしていた。しかし、予防接種率を高めるためには国民の公衆衛生知識の向上こそ有効であり、罰則による強制は適切ではなく、罰則が適用された例はないといわれている。

そこで、改正法は国民に予防接種を義務づけてはいるものの、定期の予防接種および一般的な臨時の予防接種については罰則規定を廃止した。これらの予防接種を受ける義務は法律上のものではあるが、法律上履行を強制したり違反に対し制裁を加えることのできないものに止まっているわけである。ただ、痘そう、コレラ等のまん延予防のため短期間に免疫水準を確保する必要のある場合に行なわれる緊急の場合の臨時の予防接種義務違反については、罰則規定が残されている（接種二六条）。

障害救済制度

予防接種を受けた者のなかには、接種にあたる医師等に過失がなくとも副作用のため重い後遺症にかかり、また死亡する者がいる。これは社会防衛の見地から国民に予防接種を義務づけた結果生じたものであるから、被害者個人の負担とすべきものではなく、社会全体で救済するのが筋である。しかし、国家賠償法は過失責任主義をとっているので、こうした無過失違法行為による被害は救済されず、かねて社会問題となっていた。政府は昭和四五年に行政措置による救済措置を講じ、右五一年の改正でこれを法律上の制度とした（接種一六条）。その内容は予防接種に起因する疾病・廃疾・死亡の場合に一定の金銭給付をするもので、無過失責任である。給付をするかどうかの認定は厚生大臣が行なう。

費用負担

予防接種および給付制度に要する費用は第一次的には市町村が支弁する。ただし、都道府県は市町村が支弁する費用のうち予防接種費用の三分の二、給付費用の四分の三を負担し、国庫は都道府県が負担する予防接種費用の二分の一、給付費用の二分の一を負担する（接種二〇条〜二二条）。予防接種自体は国の機関委任事務なのに自治体が費用のかなりの部分を負担する理由は、予防接種により地域の免疫水準が上り当該地域が利益を受けるという考え方による様である。

結核予防法

以上、予防接種法のしくみを説明したが、結核予防法はやや異なる制度を置いている。

〈参考文献〉

ジュリスト一九八一年七月一五日号（放置自転車対策）。
兼子仁・条例をめぐる法律問題（学陽書房、昭五三）。
原田尚彦・公害防止条例（学陽書房、昭五三）。
田中健次「予防接種法の一部改正について」ジュリスト六一九号。
阿部泰隆「行政の危険防止責任その後」判評二七〇号。
根岸哲「品質保証と事業者の責任」関西消費者協会・消費者保護と法（昭五一）所収。
北川善太郎・消費者法のシステム（岩波書店、昭五五）。
荒秀・建築基準法入門（青林書院新社、昭五五）。
遠藤博也・都市計画法五〇講〔改訂版〕（有斐閣、昭五五）。
正田彬＝鈴木深雪・消費生活関係条例（学陽書房、昭五五）。

5　住民に対するサービスに関する地方行政

33　暴力団主催のショーに公会堂の使用を拒否できるか

公会堂は公の施設　地方自治法二四四条は、住民の福祉を増進する目的をもってその利用に供するための施設を「公の施設」とよんでいる。昭和三八年の法改正（法九九号）の際に、従来の営造物の概念に代えて新たに用いられたものである。

公の施設は、普通地方公共団体が設置する施設のうち、住民の利用に供する施設である。したがって、試験所、研究所のように公の目的に供する施設であっても、直接に住民の利用に供することを目的にしないものは、公の施設ではない。公の施設は、住民の福祉を増進することを目的とする。競馬場や競輪場は利用そのものが福祉の増進となるものではないから、公の施設ではない。そして、公の施設が成立するためには、一定の物的施設を設け、必要に応じて職員を配置するなど、施設として整備されなければならない。

以上が公の施設の要件であるが、これに該当するものには、(ア)道路、河川、公園、(イ)学校、図書館、公民館、公会堂などの教育、文化施設、(ウ)病院、保健所、じん芥処理場など医療、保健衛生、環境整備のための施設、(エ)公営住宅、保育所、老人ホームなど社会福祉関連施設、(オ)上水道、交通など地方公営企業施設など、それぞれの目的、管理、利用形態において多様をきわめている。

公の施設の設置と管理　公の施設の設置と管理に関する事項は、地方自治法が定めるほか、普通地方公共団体が条例で定めることが義務づけられている（自治二四四条の二第一項）。条例で一定事項を定め、細目は長ないし委員会の規則によるのが行政の実際である。このような法的コントロールが加えられているのは、公の施設が住民の日常生活と深くかかわっているので、管理者の恣意を排して運営の公正を確保し、住民の利用を保護するためである。

公の施設は、本来、地方公共団体の自治事務として任意の判断に委ねられているが、義務教育諸学校（学教二九条・四〇条・七四条）のように法律上その設置が義務づけられるもの、児童福祉施設（児福三五条三項）のようにその設置について認可を要するものが多数ある。また、公の施設はそれを設置しようとする地方公共団体の区域内に設けるのが原則であるが、適地がないために隣接市内にじん芥処理施設を設置するなど、事情により、他の地方公共団体の区域内に設けられることがある。この場合には、当該地方公共団体との協議とその議会の議決が必要である（自治二四四条の三）。なお、住民の利用をより有効、適切にするために、その施設の管理を設置者である地方公共団体で行なわず、公共的な活動を行なっている団体に管理委託することが認められている（同二四四条の二第三項）。

公の施設の利用　公の施設の利用は、道路や公園のように住民の自由な共通利用に供されるもの（自由使用）（最判昭三九・一・一六民集一八巻一号一頁）と、公会堂や病院など収容能力の限界その他の理由から、管理者の使用許可をえてはじめて利用できるものがある（特許使用)。また、利用は一般に住民の自由意思によるのであるが、義務教育諸学校のように利用が強制されるものがある。

いずれの場合にせよ、公の施設の利用について、地方公共団体は、正当な理由がない限り、住民の利用を拒んではならず、また差別的な取扱いをしてはならない(自治二四四条二項・三項)。この規定は、住民はその属する地方公共団体の役務の提供を等しく受ける権利を有するという一般原則(同一〇条)を具体化したものと考えられている。たとえば、水道事業者は、正当な理由がなければ、給水契約の申込みを拒むことができないとされているが(水道一五条)、正当理由の有無はもっぱら水道事業の公共目的に従って判断すべきであるから、他人の土地の不法占拠者であるということは給水を拒絶できる正当理由に当たらないと解されている(大阪高判昭四三・七・三一判時五四七号五〇頁)。したがって、公の施設の利用が拒否される正当な理由に該当するのは、(ア)利用がその施設の設置目的に反する場合、(イ)たとえ設置目的に沿う利用であっても、住民の福祉の増進と相容れない場合、(ウ)公の施設の利用秩序の維持をはかる必要がある場合である。学校施設の利用が授業などの教育活動を妨げる場合(広島地判昭五〇・一一・二五判時八一七号六〇頁)、設備を損傷するおそれのある場合などがその例である。

公の施設の利用許可　自由使用と異なり、いわゆる特許使用は管理者の使用許可があってはじめてその施設を利用することができるのであるから、管理者の許否の判断により、住民の集会の自由、教育権、生存権などの具体化としての公の施設の利用権が直接に影響を受けることになる。同じことは、入院中の患者に対する退院命令などの使用許可の取消しについてもいえる。いずれの場合も、管理者の裁量に委ねられるので、その判断内容の当否は住民にとって重要な意味をもつ。このような事情を考慮して、条例中に使用の許可あるいは使用許可の取消しの要件について定めるのが一般的である。

判例は、暴力団主催の歌謡ショーに市民会館を使用させることが、市条例に定める「公安を害する虞れがあると認められるとき」に該当するとして、使用を拒否した事例について、①市民会館のような公の施設の設置運営は市民に対し会場設備などの役務の提供を目的とするものであるから、その目的の範囲をこえて公共団体が個人や団体の社会活動に介入することがあってはならないが、②ある程度の経済事業を行ないつつも常習的集団的に他人の生命身体財産に対する侵害行為をなすことによって利益を受ける組織が会館を使用し催物を行なうことによって受ける利益が、その組織の経済的基盤を強めるとともに、組織の維持発展に寄与する可能性のあるときには、公安を害するおそれのある場合にあたると解している（長野地判昭四八・五・四行集二四巻四＝五号三四〇頁）。一般に、集団的または常習的に暴力的不法行為を行なうおそれのある組織に利益となると認めるときに市民会館の使用を許可しないとする条例の運用は、適法と考えられている。この考え方は、暴力団の資金源を規制しようとする世論の立場にも合致し、支持することができよう。

34　授業料、保育料、公園施設使用料はどう決められているか

地方の自主財源

地方公共団体の自主財源の一つとして、地方税（自治二二三条）、分担金（同二二四条）、手数料（同二二七条）と並んで使用料（同二二五条）が認められている。地方税は財源調達を直接の目的とし、分担金は農業土木事業や簡易水道事業など特定の地域のために行なわれる事業により特に利益を受ける者から、その受益の限度で徴収するものである。これに対して、手数料は個々の住民の請求により、主としてその者の利益または必要のためにする事務について徴収するもので、単なる役務の提供に対する対価の性質をもち、使用料は行政財産の使用（同二三八条の四第四項）または公の施設の利用（同二四四条）の対価として徴収される。

手数料と使用料は、地方公共団体が提供する行政サービスの内容と水準および行政が本来的に負担すべき責任の程度と表裏一体の関係にある。したがって、同じ公の施設であっても、道路の利用については、使用料を徴収することは、その役務の内容からして、原則的に認められない。また、身分証明、印鑑証明などについては手数料の徴収が認められるが、印鑑登録については手数料を徴収できないと考えられている。なぜならば、印鑑を登録するのは印鑑証明を正確かつ円滑に行なうための行政技術上の必要によるもので、住民にとっては印鑑について公の証明が得られればよく、登録自体が直ちに特定の住民の利益のための事務とはいい難いから

である。なお、普通財産は公の施設と同じく公有財産であるが（同二三八条三項）、その使用についてはわれわれ私人間で行なわれる使用関係と同様の取扱いをすればよいので、民法上の賃貸借契約にもとづく賃貸料として徴収されている。

使用料条例　使用料は、公の施設の利用そのものが公行政の作用であり、その反対給付をどう定めるかは住民の権利（自治一〇条二項）に直接かかわりをもつから、条例制定事項とされている（同二二八条）。ただし、地方公共団体の長が管理する国の営造物については、長の規則でこれを定めるものとされている（地財二三条一項）。手数料についても、同様に、条例で定めることとし、機関委任事務にかかわるものについては、地方公共団体手数料令（昭三〇政令三三〇号）などに定めるものを除くほか、規則で定めなければならない（自治二二八条）。

使用料の徴収は地方公共団体の長が行なうが（同一四九条三号）、地方公営企業の料金については管理者が行なう（地公企九条九号）。

使用料が納付されない場合の徴収方法について、地方自治法は特例を定めている。すなわち、「法律で定める使用料」については、地方税の滞納処分の例により処分することができるのである（自治二三一条の三第三項）。この点については、昭和三八年の同法改正（法九九号）までは地方公共団体の歳入の一切について滞納処分ができるような表現になっていたが（旧法二二五条四項）、その解釈運用において疑義が生じ、たとえば公営住宅の家賃の強制徴収の可否をめぐり議論が展開されたので、立法的に明確にしたのである。したがって、現在では滞納処分ができるのは、入港料（港湾四四条の三）、道路占用料（道七三条三項）など「法律で定める使用料」に限られる（自治法附則六条の五）。しかし、滞納処分の認められる使用料とそれが認められない使用料がどのような基準で区別されているのかは、必ずしも明らかではない。

使用料の負担基準　一般的にいって、使用料の額は、住民の福祉増進を図ることを目的とする公の施設の利用については、維持管理費、建設費等の原価経費を限度とし、できるだけ低廉であることが望ましい。しかし、それは、提供される役務内容により、また当該地方公共団体の事情、政策の優先順位あるいは社会経済情勢の変化により異なってくる。それだけに使用料（手数料にもついてもいえる）の一般的な徴収基準を定めることは難しい。具体的に、提供する役務に要する経費と住民の受ける利益の程度を考慮して妥当な額を定めることになるが、一応、次のような視点から検討することができるであろう。

(ア)　住民の日常生活にとって基礎的、必需的役務で、特定住民に限定することなく、不特定多数を対象として平等に提供される役務は無料とすべきである（たとえば、道路利用）。この種の役務は、当然に税金で賄われるべきだからである。

(イ)　収支相償うことの予期されない社会的、文化的役務を提供する公の施設の利用については、原価を無視した低廉なものとすべきである（たとえば、学校の授業料、美術館の入場料）。単なる物的施設の利用に対する反対給付ではなく、施設と人を組み合せてはじめて可能な役務に対するものである点に特徴がある。

(ウ)　住民の日常生活に必需的、基礎的な役務であるが、選択的で特定の者のみが利益を受けるものは、原価を上限として、その役務の社会的必要性と利用する者の私的便益の程度を考慮して使用料が徴収される（たとえば、公営住宅家賃）。

(エ)　独立採算制を原則とする地方公営企業の料金については、需給適合原則の下で一定の営利性を考慮して定められている（地公企二一条二項。市バス、地下鉄料金）。

(オ)　いわゆる特許使用（自治二三八条の四第四項、道三二条等）にもとづく例外的な使用による使用料は、原価にこだわらず、その特別な地位にもとづく利益の社会還元が図られるよう考慮して定められる（たとえば、道路や河川占用料）。

使用料は応益負担　使用料や手数料は、税金と異なり、応益負担である。したがって、所得に対して逆進的な性格をもっている。そこで、一部ではあるが、使用料に応能負担の考え方を政策的に取り入れているものがある。たとえば、保育所使用料は、措置児童の年令と所得階層を組み合せて、負担能力に応じて徴収する方法がとられている。

すでに述べたように、使用料は地方公共団体の自主財源の一つであるが、様々な形で国の規制が及んでいる。公営企業料金の認可制、国庫補助金を通じて規制がある。地方交付税の算定基準に授業料が算入されるために、これが全国的指針となり、地方公共団体の自主的判断による改定を困難にしている。しかし、より基本的に、住民の福祉と公共負担についての理論的究明が立遅れているといえるのではあるまいか。

☆35　水道事業は、なぜ市町村公営が中心になっているのか

水道事業者の給水義務　水道法一五条によれば、水道事業者は、給水区域内の需用者から給水申込みがあった場合には、正当な理由がなければ、これを拒んではならない。この水道事業者の給水義務の趣旨について、判例は、同法が清浄にして豊富低廉な水の供給を図り、もって公衆衛生の向上と生活環境の改善に寄与することを目的とする給付行政に関する法規であるから、給水を拒否できる正当理由も水道事業の公共目的にしたがって解釈すべきであり、たとえ他人の土地を不法占拠し、都市計画法、建築基準法違反の建築をした者であっても、そのことだけを理由に給水を拒否することはできないと判示している（大阪地判昭四二・二・二八判時四七五号二八頁）。

わが国ではじめて近代的な水道が布設されたのは明治一六年に横浜市においてであるが、それ以後、函館市、長崎市、大阪市、東京都など当時の開港都市を中心として整備が進められてきた。明治二三年には水道条例が制定され、水道に関する法制度を支えていた。しかし、戦後の復興期を経て昭和三〇年代に入ると社会経済状況が変化し、水道条例の基本原則と水道の現状との間に大きな差異が生じてきた。そこで水道条例に代わって、新たに水道の事業経営と衛生確保の面から必要な事項を規定した現行の水道法（昭三二法一七七号）が制定されたのである。

水道は地方公営企業　水道事業は、地方公営企業法（昭二七法二九二号）の定めるところにより、地方公営企業として営業されている。同法は地方公共団体の経営する企業について、(ア)同法の規定の全部が法律上適用される水道事業、工業用水道事業、軌道事業、自動車運送事業、地方鉄道事業、電気事業およびガス事業の法定七事業、(イ)同法の定める規定のうち財務会計に関する規定のみが法律上当然に適用される病院事業、(ウ)その他地方公共団体の任意の判断で、条例の定めるところにより同法の全部または財務規定を適用することのできる事業、たとえば、簡易水道事業、市場事業、港湾整備事業に分類している（地公企二条）。

地方公共団体が企業経営に関与する方法は、直営の地方公営企業に限られるわけではなく、地方住宅供給公社のように公法上の法人格をもつ公共企業体や民法上の法人を設立して経営にあたる場合、地方公共団体が施設を所有しその経営を民間に委託する場合、いわゆる第三セクターのように地方公共団体が資本参加する場合がある。中でも、地方公営企業は、「公企業」という位置づけがされている。これは、要するに、住民の日常生活を営む上で必要不可欠とされる財貨または役務の提供を目的とし、企業性、収益性、収支適合性を加味しながら経営される企業を意味している。

公共性と経済性　このように、地方公営企業は、一つの公企業であるから、一方において住民の福祉向上という公共性の要請と、他方において料金決定、経費負担などにおける企業の合理的、能率的経営という経済性の要請との調和のうえに立って経営されなければならない（地公企三条）。そのために、法律上に特別な取扱いがなされている。

まず、企業の経済性を確保するために特別会計を設けて（同一七条）、独立採算制の原則により事業経営が行なわれている。従来、ともすれば、地方公営企業の公共性が強調され、地方公共団体の一般行政事務を併せ行なう場合があった。そこで、昭和四一年同法改正により、(ア)水道事業における消火栓設置費用のように、一般行政事務に要する費用であって、企業の負担とすることが適当でない経費、(イ)不採算地区における病院事業に要する経費のように、経営収入のみによる支弁が客観的に困難であると認められる経費については、地方公共団体の一般会計または他の特別会計で負担するものとされている（同一七条の二）。また経営収入の大半を占める料金については、原価を基礎とする原価主義によることとし、これに企業の健全な運営を確保するために必要な事業報酬を料金の算定基礎に含めることを認められている（同二一条）。その他にも、予算執行の弾力性（同二四条）、企業債の発行など法律上配慮がされている。

地方公営企業の業務を執行する機関として、管理者を置くのが原則である（同七条）。管理者（例えば水道局長）は市長などの地方公共団体の長の補助職員であるが、業務執行については地方公共団体を代表する地位を有し（同八条）、業務執行上大幅な権限を与えられている（同九条）。

上水道と下水道　住民の日常生活に欠くことのできない水の供給は、地方公営企業として、これを原則として市町村が行なうものとされている（水道六条二項）。ここにも、基礎的地方公共団体としての市町村の役割をみることができる。

ところで、水道事業と下水道事業は、一見類似しているが、それぞれの法的取扱いには差異がみられる。(ア)公共下水道の設置、管理は原則的に市町村が行なうものとして（下水道三条）、地方公共団体のいわば独占事業としている。もっとも、下水道事業のすべてが地方公共団体の独占事業とされているのではなく、公共下水道および都市下水道（同二条三号・五号）以外の下水道は、排水区域外では地方公共団体以外の者でも設置、管理ができる。水道事業は、市町村公営を中心とするが地方公共団体の独占事業とはせず、何人も事業計画を定めて厚生大臣の認可を受ければ経営することができる（水道六条・七条）。(イ)その使用方法について、水道の場合は事業者と需要たる住民との間の契約関係であるのに対して、公共下水道の場合は、住民は管理者たる地方公共団体の承認や許可などを何ら必要とせず、事実上当然にその使用を強制されるので、公道の通行などと同様に、排水区域内の住民は、他人の共同使用を妨げない限度において、自由に使用することができる（東京地判昭四三・三・二八行集一九巻三号五二九頁、東京地裁八王子支決昭五〇・一二・八判時八〇三号一八頁）。公共下水道の使用については、使用料を徴収するのが通例である（下水道二〇条）。水道事業も下水道事業も、ともに地方自治法二四四条に定める公の施設である。しかし、同じ公の施設であっても、前者については企業性を認めて地方公営企業として、給水契約の締結により使用関係が発生するのに対し、後者についてはこのような扱いをせず、使用料も公の施設の使用料（自治二二五条）としている。

36　一住民が市庁舎の地階で食堂を経営したいと思うが、可能か

公有財産の種類

普通地方公共団体の所有する財産は「公有財産」とよばれるが（国の場合は、国有財産（国財二条））、その使用目的の違いにより、「行政財産」と「普通財産」に区別されている（自治二三八条二項・三項）。行政財産は、庁舎の建物や敷地のように公共団体自身の執務のために用いられる財産（公用財産）や、道路、公園、学校、病院など住民の共同使用を目的とする財産（公共用財産）およびその予定地などであり、普通財産は、学校跡地のように行政財産以外の一切の公有財産で、現に直接に公の目的に供されておらず、いわば公共団体がその財産価値に着目して保有している財産である。

普通財産は、その法的性質は私たち個人が所有する私有財産と同じであるから、画一的な管理処分を確保するための特則が設けられるほかは（同二三八条の五）、民法により処理される。これに対して、行政財産は、その使用目的に応じて、法律上の取扱いに差異が認められる。すなわち、地方自治法は公共用財産を特に「公の施設」とよび、住民の利用を配慮している（同二四四条）。他方、公用財産については、執務のための財産であることから、住民の一般利用を原則的に考えずに、その管理処分が規定されている（同二三八条の四）。

行政財産の利用　行政財産と普通財産は、その使用目的により区別されているのであるが、具体的には、明確でない場合がある。たとえば、知事公舎や市長公舎は庁舎の延長と考えられるから、行政財産である。これに反して、職員の福祉施設的性質をもつ建物は、必ずしも行政財産として管理しなくてもよい。いずれにせよ、公用財産たる行政財産の利用関係は、職員の執務あるいは特定職員の義務的居住のための必要性を考えればよいのであって、一般住民の利用関係は、原則として、考慮の外に置かれる。

これに対して、公の施設は、住民の福祉を増進する目的をもって、その利用に供するための施設であるから、正当な理由のない限り、住民の利用を拒んではならない(自治二四四条二項)。もっとも、公の施設といっても、道路、公園のように住民の自由な利用に公開されているもの、学校、病院、住宅のように利用上の限界があるために、当然には自由な利用に供しえないもの、あるいは水道、公営交通のように、そのサービスの提供に独立採算制を取り入れ、一定の企業性を導入しているものがあり、それぞれの利用関係を規律する法律上の取扱いに多少とも差異があることに留意する必要がある。

庁舎の貸付等の原則的禁止　庁舎は、もっぱら公共団体の事務執行のために設けられた典型的な公用財産である。そこで、地方自治法は、行政財産としての庁舎の目的達成を阻害するおそれのある貸付け、私権設定などを原則的に禁止している(自治二三八条の四第一項)。同じく行政財産であっても、公の施設は住民の利用を本来の設置目的としているから、本条によらず、地方自治法二四四条および水道法など個別の公の施設法令により処理される。

右の行政財産使用の原則的禁止には、次の二つの例外が認められており、行政財産の目的外使用とよんでいる。その一つは、都市公園の一部を国道が通過する場合のように、国や公益事業者の施設のために貸付け、あるいは地上権を設定する場合である(同二三八条の四第二項)。行政財産の効率的利用をはかるための措置であるといってよい。その二は、庁舎内での食堂、売店の設置など、庁舎管理者の許可を受けてする目的外使用である。講演会や研究会のための短期間の目的外使用もある。この使用は、行政財産の用途または目的を妨げない限度において許可することができる(同条四項)。設問の場合に、庁舎に利用可能なスペースがあり、そこを売店として使用させても執務に支障が生ぜず、かつ職員や来庁する住民に便宜を供することになるといった要件がみたされるときには、庁舎の一部を使用して営業することが可能である。その判断は、庁舎管理者の合理的な裁量に委ねられている。

庁舎は、庁舎管理者により管理されるのであるが、その管理権の内容には、管理規則の制定のような立法行為や、庁舎の目的外使用許可のような行政処分の性質をもつものから、庁舎内の掃除のような事実上の行為など多様である。一般的に、庁舎の管理は民間の事業所の管理と本質的に変わりはないから、その法律上の取扱いについても、特別の定めがある場合を除き、民間の管理権に準じて考えればよい。たとえば、立入禁止のはり紙を出す行為は、行政処分に当たらないと解されている(東京地判昭四三・二・一三行集一九巻一＝二号二〇七頁)。

許可を受けてする行政財産の目的外使用については、借地法、借家法は適用されない(自治二三八条の四第五項)。これらの法律は、貸主と借主との社会的状況を考慮し、借主の立場を補強してその保護に主眼が置かれている。したがって、一旦、貸借関係が成立すると、貸主の側の事情のみでその関係を打ち切ることはできない。しかし、庁舎の目的外使用にこの考え方を適用するわけにはいかない。なぜならば、執務上の必要が生じた場合に、使用関係を打ち切ることができなければ、庁舎の管理目的に反することになるからである。

庁舎利用権の法的性質

そこで、貸主である公共団体の側の事情を考慮して借地法、借家法の適用を排除し、公用もしくは公共用に供する必要が生じた場合には、一方的に、使用許可を取り消すことができるとしているのである(同条六項)。もっとも、庁舎に食堂や売店を設置することは、その性質上当然に予想されるところであるから、一般の建物の使用関係と別異に扱う必要があるのかについて論議があったのであるが、昭和三九年の地方自治法の改正により、右のように定められている。

このように、庁舎の使用について許可によって設定される権利は、公益上の必要があれば原則として消滅させせられるという制約を内在しており、借家法などの保護を受けず、使用目的を限定されており、転貸譲渡も許されないという一般の賃借権と比べると権利性の稀薄なものということができる(最判昭四九・二・五民集二八巻一号一頁)。しかし、許可を受けた後に短期間で公益上の理由によりそれが取り消された場合には、営業を休止して他に店を再開する必要が生じるなど思いがけない損失を受けるから、その損失に対しては、補償をしなければならないであろう。

▲37　市は、私立高校授業料補助をすることができるか

私達の日常生活でも、赤い羽の募金に応じたり、母校の記念事業に寄附をしたり、あるいは反対に、クイズに当たって賞金をもらうことがある。これらは、金銭の贈与（民五四九条）であるが、地方公共団体がする補助金の交付または寄附の性格は、基本的には金銭の贈与にほかならない。地方公共団体は、公益上の必要がある場合に、寄附または補助をすることができる（自治二三二条の二）。ここにいう寄附と補助の区別は、必ずしも明確ではないが、いずれも、何らかの行政目的を達成するために、住民、民間団体、公共的団体などに交付する金銭である。寄附には、財産権の移転も含まれる。また、広義で補助金という場合には、(ア)補助金（奨励金と呼ぶこともある）の交付のように相手方に返還義務を負わせないものと、(イ)貸付金などの公的融資のように相手方に返還義務を負わせるものに区別することができる。なお、積極的な金銭の交付ではないが、工場誘致条例などにみられる地方税法六条にもとづく地方税の減免措置も、実質的に補助金と同様の効果をもっている。

補助金と寄附金

補助金交付行政は、一応、地方公共団体が住民や民間団体に対して、生活の安定、公共的需要の充足といった政策目的を達成するために、直接に金銭などの利益を供与することを内容とする行政活動であると定義しておこう。そして、それは、授益的な活動を通じて住民の福祉を

積極的に向上、増進するために行なわれる「給付行政」の一翼をなすものと位置づけることができる。

公益上の必要　地方自治法二三二条の二によれば、地方公共団体は、公益上の必要がある場合に、補助金を交付することができるのであるが、具体的に「公益上の必要がある場合」とは如何なる場合をいうのかが問題になる。二、三の事例をみると、(ア)町がたばこ消費税の収入を増加させる目的で、たばこ売上実績のあるたばこ小売人を自町内に誘致するため同人に報奨金を支出したことについて、「公益上の必要」とは単に町の収入の増加に役立つということではなく、住民全体の福祉に対する寄与貢献がなければならないと解して、その公益性が否定されている(名古屋地判昭四三・一二・二六行集一九巻一二号一九九二頁)。これに対して、(イ)町の産業の振興を図り、住民の労働の機会を増し、併せて将来の税収の増加を図るために、同町内の山林にゴルフ場を建設しようとする会社に対してなされた補助金交付について、「公益上の必要」が認められている(熊本地判昭五一・三・二九行集二七巻三号四一六頁)。

これらの判例から、次のことがいえよう。すなわち、「公益上の必要」は、町全体の発展というような間接的な効果が認められるにすぎないときには否定され(名古屋地判昭五一・二・二五行集二七巻二号二三五頁)、公益性が個別的、具体的であるとともに、住民全体の福祉に対する直接的寄与貢献ないしは直接的効果が認められるときには肯定されるのである(岐阜地判昭五〇・九・一八行集二六巻九号一〇一一頁)。ほぼ義務教育化した現在の高校教育の状況からして、公立高校の授業料との格差の大きい私立高校の授業料の一部を補助することは、住民の負担の公平を図り、子弟の教育を受ける権利を保障しようとするものであるから、一般的に右の公益性をみたしていると考えられるであろう。

憲法八九条の制限

補助金は、地方公共団体が意図する政策目的を実現するために交付されるのであるから、これが適正に行なわれるならば大きな効果をもたらすが、その反面で、補助金を受けた者とそうでない者との間で不公平をもたらす危険性がある。また、地方公共団体自らが行なうべき事務を、公共的活動をしている団体などに補助金を交付して行なわせるようなことがあると、行政の責任回避の手段ともなりかねない。このような意味で、間接的効果まで含ませると、「公益上の必要」という制限が、制限としての機能をはたさなくなるから、地方公共団体の機に応じた柔軟な活動を阻害するという批判はありうるが、右の判例の見解は妥当なものと考えることができるのである。

寄附金および補助金の支出については、地方自治法二三二条の二に定める制限のほかに、(ア)憲法八九条、(イ)地方財政再建促進特別措置法二四条二項、(ウ)法人に対する政府の財政援助の制限に関する法律三条による制限がある（(イ)、(ウ)については、☗46・47参照）。憲法八九条は、(ア)宗教上の団体、(イ)公の支配に属しない慈善事業などに対する公金の支出を禁じている。前者は信教の自由の阻害を防止するためのものであり、後者は本来自由であるべき私の事業に対する不当な干渉を防ぐためのものである。このことに関連して、政治資金規制法三条に該当する政治団体の活動のうち、文化、体育などの公益的活動を対象とする補助金の交付は、「公益上の必要」に当たると解された例がある（最判昭五三・八・二九判時九〇六号三一頁）。

補助金交付要綱　補助金の交付については、議会による予算措置のほかに、条例の裏づけが必要かどうかにつき論争がある。近代行政の基本原則である「法律による行政」の理解の仕方にもとづく見解の対立である。「全部留保説」は、住民の権利利益を規制し義務を課す侵益的な行政活動のみならず、補助金交付のような授益的な活動についても法律、条例の根拠を求める。住民生活が地方公共団体の給付的な活動に大きく依存している現在では、給付の拒否は住民に対する実質的な不利益処分となるから、法的確実性を確保し、行政の恣意を排するためにも代表議会の制定する条例の根拠が必要だと主張する。他方、「侵害留保説」は、すべての給付的な活動に条例の根拠を求めると、かえって住民ニーズに対する柔軟かつ機動的な行政の対応を阻害することになると反論する。

一般に、行政実務は後説に立って、条例によるほか、補助金交付要綱にもとづいて補助金を交付している。条例とは異なり、要綱は行政の内部的な事務処理基準にすぎない。しかし反面で、補助金交付の根拠が条例か要綱かという形式の違いで住民に対する法的取扱いに差異が生じるのはおかしいという批判がありうる。そこで、一連の判例は、不作為の違法確認の訴え（行訴三条五項）について、要綱にもとづく補助金交付申請を法令にもとづく申請に当たると解している（福岡地判昭五三・七・一四判時九〇九号二七頁など）。

❖38　ゴミ処理は、市町村の固有事務といわれるがなぜか

戦前のゴミ処理

わが国で、ゴミ処理について定めた法令は、明治二年の東京府「市中往還掃除令」や同二〇年の警察令「塵芥取締規則」である。しかし、当時は、ゴミ処理は原則として各家庭の責任とされ、地方公共団体はそれを監視するにとどまるという従来からの方式が踏襲されていた。ところが、折からコレラやペストなどの伝染病が流行し、公衆衛生上の問題が重大化したのに伴い、ゴミ処理も公共事業として行なう必要が生じた。このような経過の中で明治三三年に制定された「汚物掃除法」は、その二条で「市ハ……其ノ区域内ノ汚物ヲ掃除シ清潔ヲ保持スルノ義務ヲ負フ」と定めるに至ったのである。もっとも、ゴミ処理を市営で行なうということは当時においてもまだ形の上だけであって、実際には、請負業者にゴミ処理の一切を委託し、市は単にそれを監督するだけであった。しかし、その後にゴミ処理を委託した業者の間に汚職や不法投棄がはびこったために、明治四四年に、東京市では芝、麻布、赤坂などの六区のゴミ処理が市直営となり、それを皮切りに大正七年に当時の東京市一五区が全部直営となり、他の大都市でも同様に清掃事業が行なわれるようになったのである。

廃棄物処理法

第二次大戦後は、物質不足のためもあって、あまりゴミの問題は生ぜず、むしろ、し尿処理が一挙に問題となり、時代の要請に応えることができなくなっ

た汚物掃除法に代えて、「清掃法」(昭二九法七二号)が制定された。この法律は、主として生活系ないし家庭系ゴミを念頭におきつつ、生活環境を清潔にすることにより、公衆衛生の向上をはかることを目的としていた。清掃事業の運営は、市町村が行なう。清掃事業は住民の日常生活に最も密着した行政サービスの一つであり、その意味で市町村の固有事務と考えられるに至ったのである(自治二条三項六号・七号)。

いわゆるゴミについて、清掃法は、「汚物」の定義の下で、清掃事業として取り扱う範囲を定めていたのであるが、現在、「廃棄物の処理及び清掃に関する法律」(昭四五法一三七号)は、「廃棄物」という考え方を取り入れている(廃棄物二条一項)。この法律は、経済の成長、国民生活の向上などに伴うゴミの量的増大と、産業活動から生じる廃棄物の処理問題などゴミ処理の質的変化が顕著になってきたために、清掃法を全面的に改め、現状に即応したゴミ処理体制を確立することを目的にしている。また、この法律は、これまでのように単なる公衆衛生の維持向上を目的とするものにとどまらず、公害規制立法の一つとして制定された経緯をもつことに注意してほしい。

一般廃棄物・産業廃棄物　廃棄物処理法は、廃棄物を一般廃棄物と産業廃棄物に区別し、産業廃棄物に該当するものを法定して、産業廃棄物以外のものを一般廃棄物というと規定している(廃棄物二条二項・三項)。この区別は、廃棄物の性質如何によってなされたのではなく、処理を誰がするかによるものである。すなわち、一般廃棄物であれば市町村が処理し(同六条一項)、産業廃棄物であれば事業者が処理しなければならないのである（同一〇条一項）。

ここにいう産業廃棄物とは、事業活動に伴って排出される廃棄物で、燃がら、汚でい、廃油、廃プラスチックなど法定されている一九種類の廃棄物をいう（同二条三項、同施行令一条）。産業廃棄物は環境汚染源となりうる廃棄物であって、その処理は、一般に、沿革的な市町村の清掃事業の処理体系にはなじみにくいので、事業者の責務として、事業者が個別的にまたは共同で処理すべきものとされている。他方、一般廃棄物は、主に日常生活に伴って家庭から排出される雑芥類などのごみ、不要になった耐久消費財などの粗大ごみ、し尿などである。そのほかに、事業所から排出される廃棄物のうち、家庭系ごみに類似した性状をもつものは、事業系一般廃棄物といわれている。

廃棄物処理法の下では、一般廃棄物の範囲は産業廃棄物の決まり方によって自動的に決められる。しかも、この区別によって、必然的に処理体系が異なってくる。先に述べたように、一般廃棄物と産業廃棄物の区別は、必ずしも廃棄物の性質如何によってなされているのではなく、廃棄物の処理体系の帰属如何、すなわち、廃棄物の排出から最終処分に至る間の流れが事業者または市町村のいずれに帰属するかによって行なわれているのである。したがって、産業廃棄物の範囲を狭く限定することは、とりもなおさず、事業者の処理責任を軽減し、市町村が処理すべき廃棄物の範囲を不当に拡大することになる。そこで、行政運営においてもこの点に留意すべきことが、同法制定にあたって国会で付帯決議されている。

市町村の清掃事業　市町村は、一定の処理計画を立てて、一般廃棄物の処理をしている（廃棄物六条）。もっとも、清掃事業がすべて市町村の直営というわけではなく、飲食店などから排出される事業系一般廃棄物などは、市町村の許可を受けた一般廃棄物処理業者（同七条）に収集業務を行なわせている。産業廃棄物については、事業者が自ら処理するのが原則である。廃棄物処理法は、事業活動に伴って生じた廃棄物を事業者が処理すべきものとしているが（同三条・一〇条）、その趣旨は、事業活動に伴って排出されるすべての廃棄物について、それが産業廃棄物であると一般廃棄物であるとにかかわらず、全般的に事業者が処理責任をもつものと解されている。しかし、実際には、産業廃棄物であっても、家庭系一般廃棄物と一緒に混合焼却あるいは埋立て処理をすることができる場合や、零細企業の個別処理に委ねると生活環境上の支障が生じると認められる場合には、公益上の見地から、市町村が処理をしている。都道府県もその事務として産業廃棄物の処理をすることがあるが、知事による区域内の産業廃棄物処理計画の作成や、産業廃棄物処理業に対する許可と監督（同一〇条・一四条）が、その主な仕事といえる。清掃事業が市町村の最も基本的な事務であることは、その沿革からみても、基礎的公共団体としてのその性格からいっても、何人も否定できない。しかし、その反面で、過大に処理責任を負わされたり、じん芥処理場の適地がないために隣接市町村の山中にごみ投棄場所を求め、当該住民との間で紛争を生じるといった例は跡を絶たない。ごみ処理の広域的配慮が、現在の一つの検討課題となっている。

39　市町村は、健康保険や生活保護にどのようにかかわっているか

社会保障制度　すべての人の生存権的基本権(憲二五条)を確認し、その生活を保障することを理念とする国または地方公共団体の活動を、一般に社会保障行政と呼んでいる。この社会保障制度の中心をなしているのが、「社会保険」で、①市町村強制設立と強制加入により国民皆保険の仕組をとっている国民健康保険、②一般被用者を対象とする厚生年金保険、一般国民を対象とする国民年金、③雇用保険、④労働者災害補償保険がその主なものである。社会保険は私保険と異なり公的制度としての特色をもっている。したがって、国民健康保険への強制加入、保険料の強制徴収あるいは世帯主からの保険料徴収も合憲であり、合法であるとされており(最判昭三三・二・一二民集一二巻二号七二頁)、また保険料の負担は保険事故の危険度に応じて定められるのではなく、各保険者の標準報酬月額に比例して機械的に定められ、保険給付の内容も、必ずしも保険料の負担と一致しないのであって、ここに特殊な相互扶助的性格をうかがうことができるのである(最判昭四九・五・三〇民集二八巻四号五五一頁)。

「公的扶助」は、金員の拠出を前提とせず現実に生活困窮状態にある者に対して公的な財政負担と責任において必要な給付を行なう制度である。生活保護のほかに、母子、寡婦、児童、老人、身体障害者、精神薄弱者に対する給付がある。たとえば、生活保護は生存権を国家の責

任で保障し(生活保護一条)、保護請求権をすべての国民が無差別平等に有するから(同二条)、保護基準は健康で文化的な最低限度の生活を維持するに足るものでなければならないのである(最判昭四二・五・二四民集二一巻五号一〇四三頁)。なお、社会保障には、そのほか、福祉年金、児童扶養手当、特別児童扶養手当などの「社会手当」の制度がある。

国と地方の責務　それでは、生活保護や健康保険の運用について、国と地方公共団体はどのように責任を配分しているであろうか。

生活保護については、保護の主体は国とされている(生活保護一条)。この点では、児童扶養手当、児童特別扶養手当も同じである(児扶手一条等)。国の責務とされているから、保護の実施の最終責任者を厚生大臣とし、保護の決定その他の措置を都道府県知事および市町村長の機関委任事務として行なう仕組みがとられている(別表第三一―四三号、同第四二―一九、生活保護二〇条)。これは、救護を国家的事務とし市町村長が国の機関としてその実施に当たることにしていた昭和四年の救護法以来の考え方を踏襲したものとみることができる。なお生活保護等を実施するために「福祉事務所」が置かれ(福事一三条以下)、知事や市町村長の事務を補助する「社会福祉主事」が置かれる(同一七条等)。

これに対して、国民健康保険は市町村の義務的事務とされている(別表第二二―一八、国健保三条一項)。健康保険法では、政府が最終的に保険者としての責任を負いつつ、併せて健康保険組合を保険者としているが、国民健康保険については、市町村は行政作用を担当する行政主体の立場で事業を運営している（最判昭四九・五・三〇民集二八巻四号五九四頁）。また、児童福祉や老人福祉については、国と地方公共団体の双方の責務とされている（児福二条）。

ところで、事務が国の責務とされているからといって、その費用の全額を国が負担するわけではない。たとえば、生活保護のために支弁する保護費、保護施設事務費、委託事務費の十分の八、保護施設の設備費の二分の一を国が負担し、残りを地方公共団体が負担する（生活保護七五条）。ここにも、事務の配分と費用負担をめぐる論点がみられる。生活保護は所得再配分の機能をもつから、所得税を税源としない地方公共団体が保護費用を負担するいわれはないという主張もありうるのである。

地方の自主性　生活保護が国の責務とされていることは、この分野での地方公共団体の自主性、独自性をまったく否定するものではない。住民の最低限度の生活を保障する行政は他の施策と密接な関係をもち、総合行政の一環として地方公共団体の責任で行なうべき側面をもっているからである。そこで、今日では、地方公共団体は、国の保護基準をもっては被保護者の健康で文化的な生活水準を維持できないと考える場合に、すでに述べた二割の保護費の負担のほかに固有財源から見舞金や歳末一時金などを支給している。この分野の行政が機関委任事務であっても、それは法律の定める限度で知事や市町村長の執行を統制するために認められるものであるから、住民福祉に関する地方公共団体の責務が存在する以上、このような「上乗せ」は許されるであろう。現に、昭和三六年の厚生事務次官通達（昭三六・四・一厚生発社一二三号、改正昭五三・五・一二厚生社発五五六号）は、一定の限度でかかる上乗せを認めているし、さらにこの通達の基準によっては不十分な場合に、実質的な修正が行なわれている。これらの支給は、一般に地方公共団体の「要綱」によっており、更正資金、住宅資金、修学資金貸付けなどその種類も多い。

外国人に対する給付　これまでは、国のみが責務を負うとされている生活保護や児童扶養手当などは「国民」が支給対象者とされたために、外国人には支給されなかった。しかし、憲法学説上、外国人の権利享受主体性については論議のあるところである。また、児童手当が外国人に支給されないことについて、それが福祉年金制度と同様に福祉施策のひとつであり、また社会保険のような拠出と給付が相互に関連する関係にないことを理由としていたようであるが、社会保険と社会手当の差異を示すものであっても、国民と外国人の取扱上の差異を認める根拠とはなり難い。厚生省は、外国人について治安上、人道上の理由から生活保護法の規定を準用するものとしてきたし（昭二九・五・八厚生社発第三八二号、改正昭三八・八・一厚生社発五二五号）、また、最近の一連の法改正で、これら手当の国籍条項が削除された（児手四条、児扶手四条）。国民健康保険については被保険者を「国民」に限定していない。ただし、国籍が問題となる条項がないではないが（国健保六条八号、同規則一条二項）、現在、一九六五年のいわゆる在日韓国人の法的地位協定にもとづく永住許可を受けた在日韓国人は加入できるし、その他の外国人は条例の定めがある場合に加入することができる（☢14）。

40 道路の掘起しは、なぜ多いのか

市町村道・都道府県道

読者のみなさんは「共同溝」という言葉をご存じだろうか。これは、電線、ガス管、水道管、下水管を収容するために道路管理者が道路の地下に設ける施設である（共同溝二条五項）。道路は交通の用に供するための施設であるばかりでなく、住民の日常生活に欠くことのできない上下水道、ガス管などの収容空間としても重要な役割をになっている。しかし、道路の改良、舗装工事のほかガス管などの地下埋設工事が、施工時期を十分に調整せずに行なわれるために、道路の掘り返し工事が多くなり、道路交通に支障を及ぼしているのである。「共同溝」の整備は、掘り返しを防止し、道路構造の保全と円滑な道路交通の確保を図るために行なわれているのであるが、残念ながら、全国で一四八キロメートル（昭和五五年度末現在）が整備されたにすぎず、相変らず、掘り返しが続いているのである。

ところで、一口に道路といっても、行政主体が管理責任をもつのは道路法上の道路であるが、それには、高速自動車国道、一般国道、都道府県道、市町村道がある（道三条）。このうち、都道府県が管理するのが都道府県道、市町村が管理するのが市町村道である。もっとも、国道であっても、建設大臣が直轄で管理する「指定区間」以外の部分については、都道府県知事がその路線の当該都道府県の区域内の部分を管理しているし（同一三条一項）、また、知事が管理すべき国道であっても、指定市（自治二五二条の一九）の区域の部分については当該指定市長が管理し、

同様に、指定市内に存する都道府県道は当該指定市が管理することになっている（道一七条）。市町村は、自転車専用道路を市町村道として設置することができる。

道路は公の施設　道路は公の施設（自治二四四条）である。講学上、公園、緑地、広場、海岸、河川などとともに「公共用公物」として把握されている。同じ公物でも、河川などは自然の状態のままで公の用に供されるが（自然公物）、道路の場合は、道路としての形体をととのえた上で、供用開始（道一八条二項）の公示があった後に、はじめて、住民の一般利用に供される（人工公物）。住民の側からみれば、道路については、供用開始のあった後、供用廃止がなされるまでの間、道路本来の供用目的に従って他人の共同利用の自由を侵害しない程度において自由に使用することができるのである。これを「自由使用」（または一般使用）と呼んでいる。住民が道路を自由使用できるのは、道路が住民の利用に公開された結果の反射的利益として、事実上これを使用する自由を享受するにとどまり、その意味で何人も享受する一般自由権（民七一〇条参照）の効果であるにすぎず、特別の権利ではないと考えるのが、伝統的な見解であった（岐阜地判昭三〇・一二・一二行集六巻一二号二九〇九頁）。もっとも、その自由な使用が第三者によって妨害された場合に、私法上の救済手段により救済を求めることは可能であるし（最判昭三九・一・一六民集一八巻一号一頁）、特定住民の唯一の出入口が廃道処分によって塞がれたために直接生活上重大な支障をこうむった場合には、当該廃道処分の違法を訴訟で争うことは肯定されている（東京高判昭三六・三・一五行集一二巻三号六〇四頁）。

道路占用許可

道路は住民の日常生活に欠くことのできない物的施設であるから、無料で自由な使用に公開されている（道路無料公開の原則）。ただし、有料道路の制度がある（道整特措二条の二など）。また、一般の使用関係を調整するために、道路管理者その他の行政庁の許可を必要とする場合がある（道交七七条）。路上での物品販売、デモ行進などがこれで、「許可使用」と呼んでいる。

ところで、すでに述べたように、道路は一般交通の用に供することを本来的目的としているのであるが、これを阻害しない範囲において、住民の生活に不可欠な上下水道、電気、ガス、電話などの施設を収容する空間として重要な役割を担っている。そこで、道路法は、これを「道路の占用」と位置づけて、道路敷地外を利用する余地がないためにやむを得ない場合など、一定の要件の下で認めることにしている（道三二条以下）。この道路占用は、自由使用や許可使用とは異なり、一般人に認められない独占的、排他的な使用権を設定することによって行なわれるので、「特許使用」と呼ばれている。公益物件の占用状況をみると、電話線の電柱の六〇%、地下ケーブル一〇〇%、ガス管九〇%（昭和五五年度現在）、電線の電柱三一・五%、地下管路九九・七%、上下水道はそれぞれ一〇〇%が道路を占用している（昭和五四年度現在）。

道路の掘り返し

道路管理者は、道路を常に良好な状態に保つよう維持管理しなければならず（道四二条）、道路として通常有すべき安全性を欠いている場合には、国家賠償法二条にもとづく賠償責任を負わされる（最判昭四五・八・二〇民集二四巻九号一二六八頁）。そこで、道路の改良、舗装のための工事が絶え間なく行なわれているのである。その上に、占用物件の工事のための道路の掘り返しが加わっているために、住民の道路交通に支障を及ぼし、また道路の不経済な損傷を招いているのである。

このような道路の無秩序な掘り返しは、各公益事業者が、施工時期を十分に調整せずに、地下埋設工事を行なっている結果生じているといってよい。そこで、これに対処するために、道路管理者は、「地下埋設工事等による道路の掘り返し規制に関する緊急措置について」（昭三七・一〇・二三・閣議了解）およびこれを受けた建設省道路局長通達により、道路の掘り返しを一定期間抑制するために工事の施工時期の調整を図っている。そのために、「地下埋設工事等による道路の掘り返しの規制及びこれによる事故防止に関する対策要綱」（昭四五・一〇・五・事務次官等会議申合せ）により、一定の地域単位で道路管理者を中心とした地方連絡協議会が設置され、道路工事と地下埋設工事の施工時期の調整が図られている。

しかし、道路の掘り返しを防止し、道路構造の保全と道路交通の確保を図るためには、共同溝の整備が必要である。最近では、都市美観と災害時の安全から、電線の地中化が話題になっており、施設の収容空間として道路の機能がますます高くなっているといえる。

〈参考文献〉


原　龍之助・公物営造物法（新版）（有斐閣、昭四九）。

高田敏編著・福祉行政・公有財産条例（学陽書房、昭五六）。

小川政亮編・社会保障法を学ぶ（有斐閣、昭四九）。

ジュリスト増刊・現代の福祉問題（昭四八）。

内田剛弘「地方自治と福祉問題」法律時報五〇巻一号。

中村正文「地方行政と国民健康保険」季刊社会保障研究五巻一二号（昭四四）。

碓井光明「自治体財政の法的考察」原田・兼子編著・自治体行政の法と制度（学陽書房、昭五五）。

河中二講「自治体の補助金行政」都市問題六七巻二号。

青山俊介「都市と廃棄物処理」川上秀光編著・都市政策の視点（学陽書房、昭五六）。

6　地方税制・地方財政

41　空かん回収税などを公共団体が独自に課すことは可能か

自治体の法定外普通税制定権　地方税法は地方公共団体が課すことのできる税目を具体的に列挙しつつ、同時に、それ以外の普通税を独自に地方公共団体が課すことも認めている（地税四条三項・五条三項・七三四条五項・七三六条四項）。地方税法に具体的に規定されていない普通税を法定外普通税といい、法定外普通税について地方公共団体が独自に条例を定め、徴収し、自己の収入とする権限を法定外普通税制定権と呼ぶことができよう。地方公共団体のこの権限は自然増収の期待できた高度経済成長期にはあまり活用されなかったが、地方財政危機が深刻化した昭和五〇年以降、熱海市の別荘等所有税、三浦市のヨット・モーターボート税、福井県の核燃料税などが相ついで実施されたことによりその存在がクローズアップされ、法定外普通税制度をめぐる論議が活発に展開されるようになった。

ところで、この地方公共団体の法定外普通税制定権は地方税法の明文規定によってはじめて地方公共団体に与えられたものと考えるべきなのか、それとも憲法によって保障されている地方自治の本旨の一部を構成するものであり、憲法上当然に認められるべきものであると考えるべきなのであろうか。この問題に対する結論は地方自治にとって必要不可欠な地方公共団体の財源の内容をどのようにみるかによって異なってこよう。すなわち、地方自治にとっては方法のいかんを問わず何らかの方法で財政資金が与えられていればよいと考えれば、法定外普通税制定権など認めなくとも、地方交付税等によって財源が保障されていればよいということになる。これに対して、地方自治にとって必要な財源は「国家に依存しない財源」であると考えると、地方公共団体の課税権、ひいてはその純粋な形の法定外普通税制定権の行使による財源が保障されていなければならないと解しうるであろう。このように解すると地方税法の明文規定は単なる確認規定にすぎないことになる。

なお、地方税法上の法定外普通税に対する許可制度の存在を根拠に、法定外普通税制定権が憲法上の地方自治保障から当然に認められることを否定する見解もあるが、これは地方税法という下位法の規定を所与の前提として上位法たる憲法の内容を解釈している点に疑問がある。

法定外普通税の許可制　前述のように、昭和五〇年以降法定外普通税制度が活用されはじめたが、地方公共団体の税収に占める割合は微々たるもので一％にも達していない。その理由としては、国税および地方税法上の法定税により税源の大半が汲み尽くされていることもあるが、より大きな制約として自治大臣の許可制の存在を指摘しなければならない。すなわち、地方税法は法定外普通税の新設・変更を自治大臣の許可にかからしめており（地税二五九条以下・六六九条以下）、許可基準として二つの積極要件と三つの消極要件を規定している。二つの積極要件というのは当該地方公共団体に①「その税収入を確保できる財源があること」、②「その税収入を必要とする……財政需要があること」であり、この要件を満たしているときは自治大臣は許可をしなければならないが、ただし、①国税または他の地方税と課税標準を同じくし、かつ、住民の負担が著しく過重となる場合、②地方団体間における物の流通に重大な障害を与える場合、③国の経済政策に照らして適当でない場合には許可されないこととされている。設問の法定外普通税も現行法を前提とした場合右の基準をもとにその可否が判断されることになる。しかし、右の基準には不確定な概念が多く、地方公共団体が事前に許可の可否を判断しえないのでそもそも許可基準として妥当なものか疑問もあり、できるだけ厳格に解する必要があろう。なお、不許可となった場合の救済方法等については、▲43を参照。

ところで、憲法が保障している地方自治の本旨（憲九二条）の中に課税権・法定外普通税制定権も含まれると解する場合には、このような許可制の存在それ自体が自治体の課税権を侵害するものとして違憲とする考え方もありえよう。この考え方に立てば、地方公共団体は許可の有無にかかわりなく法定外普通税を制定しうることになろう。なお、この場合でも法定外普通税の内容が憲法の人権条項に反してはならないことはいうまでもない。

法定外目的税は可能か

現行地方税法は法定外税を普通税に限定し、目的税を認めていない。その理由としては一般に、①法定外普通税のみでも財源調整という面では支障のないこと、②目的税は本来例外的な税であること、③支出と直結した収入はむしろ負担金・分担金等によって賄うべきものであること、等が指摘されている。しかし、現実の法定外普通税は許可の積極的要件である「税収入を必要とする……財政需要があること」を示すため、条例中に「……

の費用に充てるため」と規定するケースが多く、使途を特定しているので目的税であり、地方税法に反しているのではないかという疑問も出されている。確かに右のような条例の規定を税の使途を特定したものと理解すれば、地方税法違反といわざるをえないであろう。しかし、そう解すると現行の多くの条例が違法となってしまうので、右の規定は単に当該法定外普通税の創設趣旨を明らかにしたものにすぎず、使途を特定するという規範性を有するものではない、という極めて技巧的な解釈を通じて違法性を回避する説が有力である。いずれにせよ、このような技巧的解釈をしなければならないのは、地方税法が法定外税を普通税に限定していることに無理があることを示しており、立法論として法定外目的税も認めるべきであると主張されている。

ところで、憲法で保障されている地方自治の本旨（憲九二条）としての課税権を重視した場合、果たして地方公共団体が法定外目的税を独自に徴収することは不可能であろうか。この問題は地方税法の性格の理解にかかわってくるが、地域的な性格の目的税で、他の自治体に影響を与えず、憲法の人権条項にも反しないものは、自治体間の税源配分調整法としての性格の強い地方税法の規制の対象にはならないと解する余地もあるように思われる。また、地方税法を単なる標準法的なものにすぎないと理解する場合にも法定外目的税を認める可能性がでてこよう。

42　分担金と租税はどう違うか

分担金とは何か

地方自治法は地方公共団体が事業を行なう場合、その事業等の経費に充てるためその事業等によって「特に利益を受ける者から、その受益の限度において、分担金を徴収することができる」と定めている（自治二二四条）。このように分担金は公共事業によって利益を受ける者からその利益を限度として徴収するものであり、一般に受益者負担金と呼ばれている。この受益者負担金制度は戦前においては都市計画事業の重要な財源として活用されてきたが、戦後においては「利益」概念の不明確等の様々な障害のため下水道事業を除きあまり活用されてこなかった。しかし、近時、自治体財政が逼迫し、財政不足の補塡手段としてこの制度を活用すべきか否かが大きな議論を呼んでいる。

ところで、この受益者負担金は租税とはどのような点で区別されうるのであろうか。

租税との差異

租税は原則として国や地方公共団体の一般財源になるもので、特定の事業の経費に充てられる受益者負担金と区別されているが、目的税の場合には特定の事業の経費に充てられる点では同じであり、その異同が問題となる。しかし、この場合でも、受益者負担金はその事業によって特別な利益を受ける者からその利益を限度として課されるが、目的税は一般私人に対してその能力に応じて課税されること、などの差異が指摘されている。もっとも、現行の地方税法上の目的税のうち、水利地益税（地税七〇三条）と共同施設税（同七〇三条の二）は当該事業により特に利益を受ける者からその利益を限度として課税されているので実質的に受益者負担金と異ならない。それ故、これらの租税を徴収するときは分担金を徴収できない（自治令一五三条）。右のように、あるいは国民健康保険税と国民健康保険料のように、今日租税とその他の公課との差異は相対的なものにすぎなくなってきており、租税として徴収するか、それともそれ以外の形で徴収するかは立法政策の問題と解される傾向にあるが、果たしてそういいきってよいものか検討されねばならないであろう。

なお、受益者負担金と租税との関係については、①受益者の範囲が特定の集団に限定されており、その集団に属する個々の者ごとに受益の程度がかなり明確に評価しうる場合には原則として負担金、②受益者の範囲がかなり広範囲にわたり、しかも受益の程度が個別的には評価しがたいため、その受益の程度を所得、財産、消費等の外形的標準により近似的に評価して、これに応じて負担を求めることが適当と認められる場合には原則として租税、という考え方が示されている（昭和四五年一一月税制調査会基本問題小委員会中間報告）。

「利益」とは何か　前述のように受益者負担金はある事業によって受ける「利益」に着目して課される点に大きな特色を有しているが、一体この「利益」というのは具体的には何を意味しているのであろうか。この問題についてはこれまでいろいろな指摘がなされてきているが、最も一般的に理解されているのは当該事業によって生じる「土地価格の上昇」である。この場合には公共事業による開発利益の吸収制度として受益者負担金が位置づけられることになる。この他にも、土地の使用価値の上昇、進度の利益（公共事業が先に行なわれた地域の住民は、後順位にまわる地域の住民に比べて公共施設からの利益を早く享受すること）、本来個人や企業が行なう分野を公共事業の一環として国や地方公共団体が関与すること、などが受益者負担金の根拠となる「利益」であるといわれている。

右のうち、土地価格の上昇を受益者負担金徴収の根拠としての「利益」と理解するのは、譲渡所得が課税されず、土地の保有課税も地価の税法上の評価額が時価を反映しない著しく低いものであるため、開発による不労所得が租税制度によっては吸収されえない場合には一定の合理性を有しているといえよう。しかし、逆に、租税制度が地価の上昇分も課税対象にとり入れている場合には、何故租税以外に受益者負担金をも負担しなければならないかの説明が必要となる。また、地価が上昇したといっても売却しない限りは利益が実現しないし、公共事業による地価の上昇とその他の要因による地価の上昇とをどのように区別しうるのか、といった難問もかかえている。その他の「利益」についてもいずれも抽象的にはいえても、具体的にその利益を貨幣化するのは困難である。このように「利益」概念が必ずしも明確ではないため、現行の受益者負担金制度は「利益」の内容を具体化せず、費用をかければ利益があるとの前提に立ち、費用の一部を受益者の負担割合としており、このことが様々な問題を生みだしている。

今後の課題

以上のように、分担金・受益者負担金はその徴収を根拠づける「利益」概念自体が必ずしも明確ではなく、そのことが戦後あまり活用されえなかった一因をなしてきた。それ故、分担金を自治体が徴収しようとする場合には、租税以外に負担を強いる理由を住民に説得的に示す必要があり、事業計画の決定過程への住民の参加を手続的に保障する必要がある。また、分担金の賦課要件は租税と同様に負担義務者の予測可能性を保障するために条例で明確にしなければならない(自治二二八条)が、現行の分担金条例の中にはこの要請に反しているものが少なくない。さらに、受益者の負担割合を「事業費の一部」としているため、事業が長期化しインフレにより事業費が高騰した場合には負担者に予測しえない重い負担がかかることや、工事が途中で中断され実際上何の受益も生じていないのにすでに投じた費用の一部を負担義務者が負担しなければならないのか、といった問題も生じており、今後の立法に際して配慮する必要がある。

なお、一般に受益者負担金といわれているものの中にはやや異質なものが含まれているように思われる。例えば、企業の事業収益と具体的に結びついた施設を国や地方公共団体が建設し、その費用の一部を当該企業に求める場合がある。この場合の負担金は当該企業が収益をあげるために本来負担すべき経費としての性格が強い。これらのものを一般住民の生活関連施設に係る負担金と同列に論じうるのか検討する必要があろう。

43　地方債の起債になぜ自治大臣の許可を要するのか

地方債とは何か

地方債については法律上の定義はないが、一般的には、地方公共団体が財政収入の不足を補うための借入金で、その履行が一会計年度を超えるものと理解されている。簡単にいえば一時借入金以外の借入金である。このような借入金は将来の住民に償還の負担を残すものであるため、地方公共団体は原則として地方債以外の歳入を財源とすることとされ、起債できる場合が限定されている（地財五条、自治二三〇条）。これは国債の発行を原則として認めない財政法の規定と軌を一つにするもので、非募債主義と呼ばれているが、国債と違って中央発券銀行の信用創造力を利用する力を有しない地方債を国債と機械的に同一視したものとの批判もあり、また、現実にはある程度の地方債の発行については肯定的な財政運営がなされており、地方債は地方公共団体の重要な財政手段となっている。

なぜ自治大臣の許可が必要か

地方自治法は二三〇条で「普通地方公共団体は、別に法律で定める場合において、予算の定めるところにより、地方債を起こすことができる」と規定し、原則として自主起債権を認めつつも、二五〇条で「当分の間、政令の定めるところにより、自治大臣又は都道府県知事の許可を受けなければならない」と規定している。この自治大臣の許可制は地方公共団体の自主起債権を著しく制限するものとして憲法上の地方自治保障の観点からも疑問があり、その存廃をめぐって国と自治体との間で論争が展開されてきた。

国側は地方債に対して許可制度を存置する理由として通常つぎの点を指摘している。

(1)　国全体の効率的な資金配分を期するため、地方公共団体の資金需要も織り込み、総合的に国および民間の資金需要の調整を図る必要がある（いわゆる資金調整論）。

(2)　許可制度を通じて、有力団体への資金の偏在を防止し、貧弱団体には長期低利の政府資金を配分し、資金配分の公平を図る必要がある（いわゆる弱小団体庇護論）。

(3)　地方債は将来の一般財源を先取りするものであり、無理な負担を将来に残し、財政を混乱させる団体が生じないように地方債発行の適正限度を保持させる必要がある（いわゆる健全性保障論）。

しかし、(1)については、金利操作や地方債計画等のマクロの間接手段によって行なわれるべきである、(2)については、政府資金で非市場サービス、民間資金で市場サービスという融資の原則が守られれば弱小団体といえども資金に困ることはない、(3)についても、地方債の発行限度額を法律や条例で決定すればよく、許可制によって保障すべきものではない、等の批判もある。それ故、自治大臣の許可制を合理的理由もなく自治体財政権を侵害するものとして違憲と解する見解もありえよう。

何を基準に許可されるのか

地方自治法は二五〇条で「政令の定めるところにより」許可を受けるとし、許可基準を政令に委ねている。ところが、この委任を受けた施行令一七四条は許可基準を省令（地方自治法施行令一七四条の規定による地方債の許可に関する件）に再委任し、再委任された同省令も具体的な基準を定めておらず、現実には毎年自治省と大蔵省の協議により定められる地方債許可方針に基づいて許可がなされている。地方自治法が起債の自由を原則として承認した上で許可制を採用している以上、具体的許可基準が法令上明記され、地方公共団体が起債の可否を事前に予測しうるものになっていなければならないはずである。こうした点からすると、現行の許可制度は憲法のみならず地方自治法にさえ反している疑いもある。これらの違憲性・違法性を回避するためには、自治大臣の許可を、合法性のコントロール（当該起債が法令に反しているかのみをチェックする。法令に反していない場合には許可しなければならない）に限定されているものと解せざるをえないように思われる。

許可のない起債は無効か

以上のように問題の多い許可制であるが、では地方公共団体が許可なくして起債をした場合、当該起債の効力はどうなるのであろうか。この問題は、地方自治法二五〇条の許可の性質をどのように理解するかにかかってくる。一般的には二五〇条の許可は「法律行為の効力を完成せしめる行政行為としての認可行為」と理解されてきた。この理解によれば、許可のない起債は法律上無効ということになる。これに対して、近時、許可制の違憲性を回避するためには許可制を定めた規定を行政の内部自律的規定ないし訓示的規定と解すべきであるとか、許可は地方債の資金量の配分決定権にすぎないことや、地方債の引受人との関係では許可は内部的手続にすぎないこと、などを理由に許可のない起債を直ちに無効とすることを疑問視する見解も有力に主張されている。

不許可について争えるか

ところで、自治大臣が不許可処分をした場合、当該処分に不服のある地方公共団体が行政不服審査法による不服申立てや、抗告訴訟（行訴三条）を提起することができるのであろうか。この問題は、起債をめぐる国と地方公共団体との関係を広い意味での行政機関内部の関係であり、権利義務の関係ではないと理解するか、それとも、憲法の保障する地方自治を重視し、国と地方公共団体が対等の法主体として併立的な協力関係に立つものであり、起債の許可・不許可については一般の国民と基本的には同じ立場で行政処分の相手方となっている関係と理解するかにかかってくる。前者の立場に立てば、行政不服審査は本来、違法・不当な公権力の行使によって侵害された「国民」の権利・利益を救済するものであり、地方公共団体がその固有の資格に基づいて受ける処分については適用されない、という結論と結びつくことになろう。また、訴訟についても、公権力の行使に対する訴訟である抗告訴訟ではなく、国の機関の権限を争う機関訴訟としてのみ訴訟が可能であると解することになろう。機関訴訟は法律が認めている場合にのみ可能な訴訟であり、起債については現行法上機関訴訟を認める規定がないので、結局、この説によると訴訟は提起できないことになる。これに対して、後者の立場に立てば、国の不許可処分によって地方公共団体の利益が侵害されている以上、一般国民と同様に不服申立て、さらには抗告訴訟の提起も肯定されることになろう。

☢44　なぜ地方公共団体に超過負担のしわよせがくるのか

地方公共団体の超過負担問題は早くからその解消が地方公共団体側から要求されていたが、昭和四八年に摂津市が保育所設置に係る超過負担分の支払いを求めて争ったのを契機に、自治体財政を圧迫する要因としてその存在が再びクローズアップされるようになった。とりわけ、道路、港湾事業のような産業基盤事業については地方公共団体の支出実績が基準とされ、補助率も高いため超過負担問題が生じていないのに、教育、衛生等の住民の生活環境整備事業に超過負担が集中している点が強く批判されている。

超過負担の意味

この超過負担というのは、本来国が負担すべき費用を国が負担しないために地方公共団体が肩代りして負担せざるをえないものをいうが、その具体的内容については必ずしも見解が統一されているわけではない。例えば、国庫支出金（その意味については☢47を参照）のうち法令上国が一定割合を負担すべきとされている国庫負担金や国が全額負担すべきものとされている国庫委託金の場合には、国の支出する金額が実際に地方公共団体の要した経費と比較して右の基準に達していなければ超過負担であると一般に認められているが、支出自体が義務づけられていない国庫補助金についても超過負担を論じうるかについて見解の対立がみられる。これを否定する見解は、本来国庫補助金は国が負担しなくともよいものであり、そもそも超過負担はありえないとする。しかし、地方財政法一八条が国庫補助金を含む国庫支出金の算定について「国は地方公共団体が当該事業を行うために必要かつ充分な金額を基礎としなければならない」と規定していることからすると、国庫補助金についてもその金額が「必要かつ充分」でない場合には超過負担を論じる余地が全くないとはいえないであろう。

超過負担の発生要因

超過負担の発生要因についても種々の議論があるが、通常次の論点が指摘されている。

①　単価差　国の算定単価が実際の単価よりも低いことから生じる超過負担。保育所を一平方メートルあたり一〇万円の建設費で建設したのに、国が一平方メートルあたり六万円としか算定しなかった場合などがこれにあたる。

②　数量差　国と地方公共団体の配置基準の相違等により、事業規模の国による算定量が実際の必要量より少ないことにより生ずるもの。二〇〇平方メートルの保育所を建設したのに、国が建設面積を一〇〇平方メートルとしか算定しなかった場合などがそうである。

③　対象差　事業を実施するために必要な経費であり、本来国庫補助となるべきであるにもかかわらず、国の基準によると補助対象とされないために生ずるもの。小学校の新校舎に渡り廊下をつけて旧校舎と接続したにもかかわらず、渡り廊下が補助対象からはずされた場合などがそうである。

④　認承差　地方財政法上の国庫負担金や国庫委託金の要件に該当し、国の採択基準にも

合致しているにもかかわらず、国の財政上の都合等のため補助対象とされないことから生ずるもの。地方公共団体が補助対象となるべき保育所を四つ建設し、国もその設置をすべて許可しているにもかかわらず、そのうちの二つにしか補助を与えない場合などがそうである。

現実の超過負担はこれら様々な発生要因がかさなって生じていると考えられるが、国はこれらのうち①の単価差しか発生要因として認めていないといわれる。すなわち、②以下は超過負担の問題ではなく補助金政策の問題にすぎないとして、毎年度行なわれる超過負担解消措置も原則的に単価差に限定しているのが実情のようである。

高い給与やデラックスな施設と超過負担

しかも、単価差についても「いわゆる超過負担と呼ばれるものの中には、地方団体の給与水準が国家公務員のそれよりも高いことに基因するものがあり、あるいは建設費系統のものについても、昨今の地方団体の施設は必要以上にデラックス化する傾向があり、その結果が超過負担を生ぜしめている」と批判し、人件費のうち国の水準を上回る分や国の補助基準を上回る仕様分は単価差に含めていない。確かに地方公共団体が必要以上に高い資材を用いて建物を建築したり、必要以上に高い給与を支給し、その負担の解消を国に求めるとしたら問題であろう。その意味で、国の定める標準仕様や国家公務員給与を基準として超過負担を論ずるのは一定の合理性がある。しかし、その前提としては、国の定める標準仕様が当該事業を行なうために「必要かつ十分」でなければならず、国家公務員ベースに換算した給与が当該事業を行なうための給与として「必要かつ十分」でなければならない。現実に国が定めている標準仕様や国家公務員給与が果たして右のような前提要件を満たしているといいきれるか疑問のあるところであり、この点をめぐって国と地方公共団体の見解が対立しているのである。なお、国が現在支給している機関委任事務を処理する職員に対する給与の補助額は、国の設定する基準格付けが地方における職員の実態を配慮していないため、国家公務員給与ベースに換算してもなお低いものであることに留意すべきである。

超過負担解消の方向　以上のように、国のいういわゆるデラックス論は一般論としては肯定できても、実際上地方公共団体を納得せしめるものにはなっていない。それはデラックスかどうかを判断する基準を国が一方的に定めていることに大きな原因があるといえよう。そこで、超過負担問題を解消する前提として、地方公共団体と国が対等の立場で協議しうるような第三者機関を設置し、そこで合理的な基準を設定し、超過負担の範囲についての共通の尺度をつくりだすことが必要であろう。

しかし、より抜本的には現行の国庫支出金制度自体を再検討し、行政事務の負担区分の明確化、国庫支出金制度から一般財源交付制度への移行等がはかられねばならないであろう。

なお、右の点と関連して、国庫負担金は法律または政令で国の負担割合や算定基準を定めなくてはならないにもかかわらず（地財一一条）、具体化されていないケースも多いので、法令上算定基準等を明記し、国の財政上の事情等を理由とする恣意的な算定基準を防止する必要もあろう。

✦45　地方公共団体の会計・契約制度の特色と問題点を説明せよ

地方会計と企業会計導入問題　現行の地方会計制度は昭和三八年の地方自治法の大改正によって近代化がはかられたものであるが、改革についての結論が出ぬまま旧来の制度を踏襲したものも多く、地方行政が多様化しつつある今日、そのあり方が再び問われるようになっている。

例えば、現行の地方会計制度は国の会計制度と同様に現金主義経理を基調とするいわゆる公会計制度を採用している（ただし、例外として地方公営企業については発生主義会計が採用されている。地公企二〇条）。この会計制度は歳入・歳出の経理を確実、簡易に行なう点ですぐれた面もあるが、他方で、財産の記録・管理の不十分さ等の問題点も指摘され、市民に財政の実態を正確に伝えたり、予算編成のあり方を改革するために、地方会計にも発生主義複式簿記による企業会計制度を導入すべきではないか、ということが問題になっている。この問題は昭和三八年の改正に際しても論議を呼び、①財産、物品、金銭、の各会計の遊離している欠点を自動的にチェックでき、会計責任の確立がはかられる、②財産、物品等の状況把握が可能になる、などの利点が指摘されたが、事務手続が複雑化し、かえって経費がかかる等の欠点も指摘され、結局、検討課題として残されてしまった。

確かに企業と異なり収益性を終局目的としてはいない地方公共団体の会計制度には企業会計

が全面的には適合しない面もある。しかし、地方公共団体の地域社会のために行なうべき活動がますます多様化しつつある今日、住民により正確な財政状況を伝え、自治体行政のあり方についての住民の理解を会計面からも担保することが必要になってきており、その意味で企業会計制度の導入問題は真剣に検討されるべき課題の一つであるといえよう。

会計年度改革問題　現行の会計年度は国の会計年度と同じく毎年四月一日に始まり翌年三月三一日に終ることになっているが（自治二〇八条一項）、国と同一であること、四月から始まることが地方公共団体の実態に合わないとして従来から強く批判されてきた。すなわち、①地方公共団体の財政は、その財源の非常に大きな部分を国庫に依存しているため、国の予算の成立をまたないでは真に実態に即した予算を編成することが不可能である、②事業の執行は国庫支出金、起債等の内容、もしくは決定をまって行なわれるため、東北や北海道等の積雪寒冷地帯では条件の劣悪な冬期に事業の最盛期を迎えることになり、予算の効率的使用を著しく阻害している、等の問題点が指摘されており、国の会計年度を暦年制にすべきである、等の要求が自治体側から出されてきた。これに対して、国の会計年度を暦年制にすると、①民間経済活動に及ぼす影響が大きい、②国と地方の財政を一元的に把握するのに障害となる、③年末年始を休むわが国の慣習からみて予算審議上・予算編成上難点が多い、等を理由とする反対論も強く、現在まで結論が出ていない。そこで、最近では別の角度からの改革案として、地方公共団体の会計年度を一年としつつも、予算制度を二年制にすること（二年制予算）が提唱され論議を呼んでいる。

　これらの改革案が実現すれば、確かに地方公共団体の予算制度のかかえている問題の一部は解消しうるであろう。しかし、留意しなければならないのは、地方公共団体の予算が住民の要求を的格に反映したものになっていないのは、会計年度が国と同じであることや予算が単年度になっているためではないことである。より根本的には地方公共団体がその財源の大半を国に依存しなければならず、依存財源や機関委任事務を通じて国の政策が地方公共団体の行財政運営をしばり、地方公共団体が自主性を発揮しえなくなっていることに原因があるのである。この点の改革なくしては根本的な解決にはなりえないであろう。

契約制度の特殊性

　地方会計制度の特色の一つとして契約制度の特殊性にも触れておきたい。

　地方公共団体の契約制度の特殊性としては、まず第一に契約の成立時期に注意する必要がある。一般の私法上の原則によれば、契約は意思表示の合致により成立し、契約書の作成は契約成立の要件とはならない。これに対して、地方公共団体が締結する契約で契約書を作成する場合には契約書に当事者が記名押印しなければ契約は成立しない（自治二三四条五項）。これは入札について「この段階では予約が成立したにとどまり本契約はいまだ成立せず、本契約は、契約書の作成によりはじめて成立すると解すべきである」とした最高裁判決（昭三五・五・二四民集一四巻七号一一五四頁）を立法的にとり入れた国の会計制度（会二九条の八）にならったものである。ただし、契約書の作成を省略することもでき、その場合には一般私法の原則が適用されることになる。契約書を作成するか省略するかの基準は地方自治法上定められていないので、地方公共団体の財務規則等で定めることになる。

第二に、地方公共団体の行なう契約のうち一定のものについては地方自治法上議会の議決が必要とされている（自治九六条五号）。これは住民に重い負担をかける契約については、住民の代表機関である議会がチェックできるようにしたものであるが、仮に、長が議会の議決を要する契約を議会の議決を経ることなく締結してしまったとしたら、その契約の効力はどうなるのかという問題が生じる。

長の行なった右のような行為は長の代表権限外の行為であり、原則として無効と解さざるをえないであろう（東京高判昭五三・一二・一六判時九一八号八三頁）。しかし、相手方が善意かつ無過失な場合には取引の安全保護のため民法一一〇条の表見代理の規定を適用して契約を有効と解する余地もある。もっとも、地方公共団体の議会は原則として公開であり、かつ、議事録も閲覧に供されているので、相手側が善意無過失である場合というのは現実にはほとんど生じないであろう。

なお、右のようにして契約が無効であるとしても、地方公共団体が常に何の責任も負わないですむわけではなく、民法四四条の不法行為責任が認められる場合もありうることに留意する必要がある。

☢46　公共団体は、国鉄駅舎を誘致するため国鉄に寄附できるか

自治体の公金支出制限の類型　今日地方公共団体は住民の要求にこたえるために様々な活動を行ない、それに伴い生ずる経費の支出も極めて多様なものとなっている。しかし、地方公共団体はどのようなものに対しても公金を支出できるのではなく、公法人としての性格や、国との関係における経費の負担区分を明確にする必要から、法令上一定の制約が設けられている。

まず、憲法上の制約として八九条の宗教団体および公の支配に属さない慈善、教育もしくは博愛事業に対しての公金の支出の禁止がある。つぎに地方自治法二三二条の二は「公益上の必要がある場合」に寄附または補助をしうると規定している。それ故、地方公共団体が住民団体等に補助金を交付する場合「公益上必要がある」といえるかがしばしば問題となる。また、会社その他の法人の債務については原則として保証契約をしえない（法人援助三条）という制約もある。以上が地方公共団体の公法人としての性格からくる制約であるといえよう。

これに対して以下の制約は国と地方公共団体の負担区分の明確化の要請による制約である。つまり、本来国の経費は国が、地方公共団体の経費は地方公共団体がそれぞれ負担すべきものであるが、過去において国がその優越的な地位を利用して地方公共団体に寄附金という名目で強制的に負担を転嫁させる例が多かったので、一連の防止規定が設けられている。まず、地方

財政法四条の五は国が地方公共団体や住民に対して寄附金を割り当て、それを強制的に徴収することを禁止している（ある地方公共団体が他の地方公共団体や住民に対してする割当的寄附も禁止）。しかし、この規定では強制的な寄附を禁止しえても、地方公共団体の自発的な意思に基づく寄附までをも禁止しえない。そのため、国の有形無形の圧力により自治体が自発的寄附という形で財政上の負担を負う事態が生じ、その対応策として地方財政再建促進特別措置法（以下、地財再建法と略す）二四条二項が、当分の間、一定の場合で自治大臣が承認したものを除き、国および公社等に対して寄附金を支出することを禁止したのである。本問はこの禁止規定に該当するかどうかが問題となる。

なお、その他にも地方公共団体が処理する権限を有しない事務に要する経費を国が地方公共団体に負担させること等も禁止されている（地財一二条等）。

地財再建法二四条　地財再建法二四条は国または公社等に対する寄附金や負担金の支出を当分の間禁止したものであるが、その趣旨は前述のように、国等への自発的な寄附という形での地方公共団体の財政負担を避けるものである。したがって、地方公共団体の行なう寄附行為を強制的なものか任意的なものかを問わず禁止したものと解される。また、禁止される行為は寄附金、法令の規定に基づかない負担金その他これらに類するものであり名称の如何を問わないし、金銭に限らず、物品、有価証券、不動産も対象とされている。なお、支出の直接の相手方が国や公社等ではなく、何らかの経由組織を通じて間接的に支出する場合であっても、実質的に国や公社等に対して直接支出する場合と同一の場合も禁止される（東京地判昭五五・六・一〇判時九六八頁）。したがって、本問の国鉄駅舎を誘致するための寄附も原則として同法による禁止の対象となるといえよう。しかし、同法は地方公共団体が行なう寄附のうち、当該団体の利益とつながる行為を例外的に自治大臣の承認を得ることを条件に認めている。同法が任意的寄附までも禁止したのは、「自発的」寄附による地方財政の悪化を防止するためであり、当該寄附が実質的にも地方公共団体の利益となる場合までをも禁止する必要はないので、右のような例外措置は一応の合理性を有しているといえよう。そこで、本問の行為がこの例外に該当するかがつぎの問題となる。

寄附禁止の例外　例外的に認められる行為としては次のようなものがある（地財再建二四条二項但書、同施令一二条の二）。

①施設の移管。県立大学を国立に移管する場合のように、地方公共団体が所有・管理経営している施設を国に移管し、地方公共団体の財政負担を軽くする場合である、②実質的交換、③施設の移管に準ずるもの、④原因者負担的支出、⑤地方公共団体の施設で公社等が直接本来の事業の用に供する施設と一体となって機能を発揮しているものを構成している財産を、当該施設の機能を増進させるために寄附する場合で、かつ、当該施設がもっぱら当該地方公共団体の利用に供され、または主として当該自治体を利することとなる場合、⑥公社等の設置基準をこえるもので、もっぱら当該地方公共団体の利用に供され、または主として当該地方公共団体を

利することとなる施設を設置する場合。

以上の場合に例外として寄附が認められるが右の要件をみたしていれば当然支出が認められるのではなく、自治大臣の承認を得なければならないこととされていることに留意する必要がある。

設問の場合には右の⑥の要件に該当する可能性がある。つまり、いわゆる「請願」駅は国鉄の一般的設置基準をこえるものであり、かつ、地元住民の利便の向上がはかられるものであり、主として当該地方公共団体を利することとなる施設であると解する余地があるからである。ただし、一般的基準をこえているかどうかの客観的判断基準が必ずしも明確ではないという問題点もあることに留意する必要があろう。

自主財政権と寄附制限

地財再建法二四条については、この法律が昭和三〇年代の地方財政を前提とした赤字団体再建のためのものであるとして、すべての地方公共団体に一律に適用することを自治体の財政自主権を侵害するものとして疑問視する見解や、同法を厳格に解すると「請願」の駅の実現が事実上不可能になってしまうことを理由にもっと弾力的に解釈すべきことも一方で主張されている。これらの主張は地方自治拡充の観点からみて、一応の合理的根拠を有しているが、他方で、国や公社等の財政状況も逼迫している今日、地方公共団体に負担を転嫁する可能性が従来にもまして大きくなってきていることにも留意しておく必要があろう。

☢47　国庫支出金（補助金）の功罪を説明せよ

国庫支出金とは何か　地方公共団体が総論では整理・縮少を主張しつつも、各論ではその獲得にしのぎを削っている国庫支出金というのは特定の目的と条件のもとに地方公共団体の支出にあてるために国庫から地方公共団体に支出される資金を意味し、一般に補助金とも呼ばれ、国庫負担金、国庫委託金、国庫補助金の三種類のものを含んでいる。このうち、国庫負担金というのは地方公共団体に義務づけられている必要事務のうち国家的利害に関係のあるものにつき、その経費の一部または全部を国が負担しなければならないとされているものである（地財一〇条～一〇条の三・三四条）。また、国庫委託金というのは本来国が自ら行なうべき事務を地方公共団体に委託している場合に、その経費を地方公共団体の負担としないために全額国が負担する支出金をいう（同一〇条の四）。これに対して、国庫補助金というのは国が特定の施策を奨励するため、もしくは地方公共団体の財政援助をするために支出するもので任意的なものである（同一六条）。このように補助金と呼ばれるものの中には性格をやや異にするものも含まれているが、いずれも特定の支出にあてることが予定されている支出金としての特徴を有しており、いわばヒモつき財源である点において、一般財源にあてられる地方交付税と異なっている。このようにヒモつき財源であるため後述のような弊害をもたらしており、その改革が検討されているが、現実にはますます増大し、昭和五四年度では地方公共団体の歳入総額の四分の一を超え、地方税につぐ大きな財源となっている。

補助金のメリット　このように現実に補助金がますます増大しているのは、支出する側、受けとる側の双方にそれなりのメリットがあるからにほかならない。

まず、交付する側のメリットとしては、国家的見地から必要とされる施策を地方公共団体に浸透させるためには一般財源を支出するよりも特定財源を支出した方がはるかに効果的である。換言すれば、財源を付与することによって特定の施策の実施を強制しうることになる。

また、受けとる側においても災害復旧事業のように臨時に巨額の支出をよぎなくされる場合に、その負担を直接かつ具体的に軽減しうる補助金が歓迎されることになり、また、補助金が僅かでもつくと裏負担（当該事業に係る費用から国庫支出金を差し引いた額。つまり地方公共団体が負担する分）に対して通常起債が認められ、場合によっては交付税によって裏負担の一部が補塡されることもあり、地方公共団体は少ない負担で一定の施策を行なうことが可能になる。つまり、一つのカネで三倍も四倍もの事業が可能になるというメリットがあるのである。

補助金のデメリット　しかし、前述のようなメリットは同時に様々なデメリットをも含んでいる。そのようなデメリットの主なものを指摘すると次のようなものがある。

まず第一に、補助金の交付が地方公共団体の自主性を著しく阻害し、自治の精神の育成をかえって妨げ、国による地方統制の重要な手段とされてしまっている。つまり、地方公共団体は住民にとって必要な事業であるかどうかよりも、補助金がつくかどうかによって事業の優先順位を決定し、国の要求する事業が実質上強制されることになり、しかも、地方公共団体は細部にまで干渉をうけ地域の特殊性を配慮しにくくされている（例えば、図書館建設に対する補助金の場合、図書館長に司書の肩書を要求している）。

第二に、補助金を受けるには複雑な手続、膨大な資料が要求され、地方公共団体に多大な事務量の増大をもたらしている。例えば、手続はきわめて煩雑で、市町村→県出先機関→県→国出先機関→各省庁というように何段階にもわたってヒヤリング、チェックが行なわれており、それによる無駄は相当な額にのぼっているといわれる。

第三に、第一点と関連するが国のタテ割行政による弊害が補助金を通じて地方にも拡散し、地方公共団体が地域にあった多目的複合施設を建設しようと思ってもなかなか実現できないという問題もある。例えば、都市公園の一部に防災のための器具置場を作れなかったり、福祉センターや図書館等をまとめて一つの施設を設けることがなかなかできないといわれている。

第四に、補助金の対象、単価等が地方の実状にあわないためいわゆる超過負担の問題も生みだしている（この問題については、⧗44参照）。

第五に、一度新設すると圧力団体との関係上なかなか廃止できなくなり、それどころか必要以上に国の支出を促進し財政硬直化を招くことが指摘されている。

このような補助金のもつ功罪をみてみると、全体として補助金が中央による地方統制の手段となっており、自治を侵蝕するものであるといわざるをえないであろう。

補助金改革の方向

それ故、補助金制度の存在自体が問われなければならない。しかし、そのためには現行の国と地方双方の利害が絡むものとされている国庫負担金に係る事務を再検討し、国の事務とされるものはあくまでも国の責任と負担で、一方地方公共団体の事務とされるものはあくまでも地方公共団体の責任と負担で処理できるように、国と地方公共団体の事務配分を明確にする必要がある。

もっとも右のような抜本的な改革案は現実には容易には実現しえず、そこで現行の補助金を前提とした上で、細部への干渉を少しでも排除し、地方公共団体の工夫の余地を残すための次善の策として「総合補助金」とか「メニュー補助金」といった方向への改革も提唱されている。これは補助金を一定の枠として与え、その中で地方公共団体がそれぞれの地域の特殊性を配慮できるようにしようとするものである。

この他、補助金関係手続の簡略化等の改革案も示されているが、いずれにせよ、地方公共団体自身が「補助金まち」の態度を改め、場合によっては補助金を返上してでも住民にとって必要な事業を行なうだけの姿勢を示さなければ、補助金による弊害は一向に減らないように思われる。

⚛48　地方財政を監視する制度は、どのようになっているか

どんな監視制度があるか　地方公共団体が行なう様々な行政活動にかかる経費の大部分は、直接的にせよ間接的にせよ住民によって負担されている。それ故、地方公共団体がその事務を処理するにあたって「住民福祉の増進に努めるとともに、最少の経費で最大の効果を挙げ」、「組織及び運営の合理化」（自治二条一三・一四項）に努めなければならないのは当然であろう。このような要請を実質的に担保するためには地方公共団体の財政を監視する制度が保障されていなければならない。現行法上認められている監視制度を大まかに分類すると次のようになる。

①地方公共団体の監査委員による監査制度、②住民によるコントロール手段としての住民監査請求（同二四二条）、住民訴訟（同二四二条の二）およびそれらを担保するためのものとしての財政状況の公表制度（同二四三条の三）、③財務監視制度（同二四六条）等の国による監視制度。

監査制度は十分か　地方公共団体の監査委員は、地方公共団体の長が議会の同意を得て、議員と専門的知識を有する者の中から選任することとされている（自治一九六条）。この監査委員の行なう監査にも様々なものがあり、大別すると次のようになる。

①監査委員が自主的に行なう監査。定期監査、随時監査等のいわゆる一般監査（同一九九条）および決算監査（同二三三条、地公企三〇条）等の特別な監査がこれにあたる。②一定の選挙人の連

署に基づく監査請求による事務監査（自治一二条二項・七五条）、③後述の住民監査請求に基づく監査、④議会からの請求に基づく事務監査（同九八条二項）、⑤主務大臣等の要求に基づく事務監査（同一九九条五項）。

これらの監査のうち、監査制度が十分に機能を発揮するためには、②〜⑤のように外からの指摘をまって行なう監査以上に、監査委員が自主的に行なう一般監査の内容の充実が図られねばならない。しかし、そのためには次のような問題点がある。まず第一に、現行法上一般監査は「財務事務」に限られ、行政事務一般には及ばないとされている。しかし、財務監査と行政監査の区別はそれほど明瞭ではなく、「最少の経費で最大の効果」をあげているか等を監査するためには一般の行政事務にまで監査対象を拡大する必要がある。この問題は、監査委員による監査が長その他の執行機関の行財政運営の妥当性および能率性を確保することを目的とするいわゆる「内部監査」であるのか、それとも、住民にかわって執行機関の行政運営を監視する「外部監査」と理解すべきかという議論と関連しており、前者であれば行政事務全般に監査の対象が及び、後者であれば、客観性を確保しやすい財務監査に対象が限定されると一般に論じられている。しかし、後者の立場に立っても、監査は住民にできるだけ適切な判断材料を提供するために行なわれねばならないのであるから、行政事務に対する監査を必ずしも否定しなければならないものではないと思われる。第二に、一般監査では機関委任事務についても、その経費の負担が当該団体の事務と認められる場合を除き、原則として監査しえない。しかし、地方行政においては機関委任事務の占めるウェイトが大きく、また団体事務と混在しているので、通常の一般監査の際に監査しておかなければ②～⑤の監査によって機関委任事務を監査しようとしても十分な成果をあげることができない。第三に、監査委員の選任方法が問題となる。現在、監査委員は議会の同意を得て長が任命しており、しかも議員以外から選任される者の多くは当該団体のOBであり、したがって、公正な監査をなしえないのではないかと批判され、委員の公選制や、当該団体のOB以外の者から選任すること等の提案がなされている。なお、この問題と関連して、監査事務局の職員の身分保障の問題も考えなければならない。現在、事務局職員は知事部局からの出向がほとんどであるといわれ、これでは思いきった監査をなしえないと思われる。第四に、監査委員の権限の問題があるが、これは住民監査請求の問題点のところで指摘することにしたい。

住民による監視制度　住民が地方公共団体の財政を監視するために行なうことのできる制度としては、住民監査請求と住民訴訟とがある。

住民監査請求は住民訴訟を提起するための前提として監査委員に対して請求するもので、対象となる行為は、違法または不当な、①公金の支出、②財産の取得・管理・処分、③契約の締結・履行、④債務その他の義務の負担、⑤公金の賦課・徴収もしくは財産の管理を怠る事実、である。この請求は住民一人でもできるので、住民意識の高まりとともに活用される傾向が示されているが、監査委員の権限が弱いので住民の要求をそらす手段にすぎないという批判もある。すなわち、住民からの請求を受けた監査委員が監査を行ない、請求に理由があった場合、監査委員が行ないうるのは議会、長その他の執行機関または職員に対して期間を示して必要な処置を講ずべきことを勧告し、その勧告内容を請求人に通知し、公表するに止まるからである。それ故、勧告された機関は必ずしも勧告の内容に拘束されずに自らの判断により必要と認める措置をとることができ、また、何らの措置を講じない場合にも監査委員は何らの強制手段も行使しえないのである。このため、結局、住民は住民訴訟を提起して請求内容の実現をはからねばならないのが実状であるといわれている。住民訴訟の特徴等については、☢15参照。

住民がこれらの制度を通じて地方公共団体の財政を監視するためには、地方公共団体の財政状況が住民に対して公表されていなければならない。その意味で財政状況の公表制度も住民による財政コントロールの前提として重要な制度である。しかし、現実に行なわれているものは、単なる経理状況の報告にすぎず、住民による財政コントロールのための資料というにはほど遠いものであることも問題であろう。

最後に、財務監査制度等の国による監視制度もあるが、当該自治体内部および住民による監視こそが自治発展のために重要であり、このような国による監視制度がはたして地方自治の理念と相容れるものであるかどうか疑問である。

〈参考文献〉

北野弘久・憲法と地方財政権（勁草書房、昭五五）。
碓井光明・地方税条例（学陽書房、昭五四）。
国民税制調査会編・地方税制（学陽書房、昭五四）。
高寄昇三・地方財政の改革（勁草書房、昭五二）。
吉岡健次＝和田八束編・現代地方財政論（有斐閣、昭五〇）。
米原淳七郎・地方財政学（有斐閣、昭五二）。
石原信雄・地方財政法逐条解説（ぎょうせい、昭五一）。
吉田寛・地方自治と会計責任（税務経理協会、昭五五）。
坂田期雄・危機の自治体財政（ぎょうせい、昭五三）。
加藤一明・日本の行財政構造（東京大学出版会、昭五五）。

有斐閣新書　　地方自治法の論点

1982年8月10日　初版第1刷印刷
1982年8月20日　初版第1刷発行 ©

著　者　小高　剛
　　　　阿部泰隆
　　　　宮崎良夫
　　　　芝池義一
　　　　三木義一
　　　　木佐茂男
発行者　江草忠允

発行所　株式会社　有斐閣
〒101 東京都千代田区神田神保町2-17
電話 (03) 264-1311　振替 東京 6-370
京都支店〔606〕左京区田中門前町44

落丁本・乱丁本はお取替えいたします　共同印刷工業・新日本製本
★定価はカバーに表示してあります

地方自治法の論点〈有斐閣新書〉(オンデマンド版)

2015年6月1日　発行

著　者　小高　剛・阿部　泰隆・宮崎　良夫
芝池　義一・三木　義一・木佐　茂男

発行者　江草　貞治

発行所　株式会社 有斐閣
〒101-0051　東京都千代田区神田神保町2-17
TEL　03(3264)1314(編集)　03(3265)6811(営業)
URL　http://www.yuhikaku.co.jp/

印刷・製本　株式会社 デジタルパブリッシングサービス
URL　http://www.d-pub.co.jp/

AH253

ISBN4-641-91634-9　Printed in Japan